Strade blu

Mario Calabresi

QUELLO CHE NON TI DICONO

MONDADORI

Dello stesso autore
in edizione Mondadori

Spingendo la notte più in là
La fortuna non esiste
Cosa tiene accese le stelle
Non temete per noi, la nostra vita sarà meravigliosa
La mattina dopo

◮ librimondadori.it

Quello che non ti dicono
di Mario Calabresi
Collezione Strade blu

ISBN 978-88-04-73226-6

© 2020 Mondadori Libri S.p.A., Milano
I edizione ottobre 2020

Anno 2021 - Ristampa   2 3 4 5 6 7

Indice

Quello che non ti dicono

A Silvia

La mareggiata

Era annunciata una mareggiata, fin dal mattino le onde avevano cominciato a crescere, non faceva caldo, d'altronde la primavera era iniziata solo da un mese. Carlo aveva insistito perché tutti portassero il costume, promettendo la prima nuotata dell'anno. Roberto, alla fine della telefonata, disse a sua sorella Silvia che l'invito per quel fine settimana in Liguria era stato esteso anche a lei, sarebbero stati in quattro.

Il 25 aprile cadeva di domenica, non c'era nessun ponte, ma due giorni nella grande casa sulla scogliera erano un'occasione da non perdere.

Silvia accettò l'invito, quel ragazzo la incuriosiva; si aggiunse a loro, ma di fare il bagno non ne voleva sapere. Non la ascoltarono. Carlo fu il primo a buttarsi tra le onde, l'acqua era gelata, Roberto e la sua ragazza lo seguirono subito, Silvia rimase a lungo ferma sulla spiaggia, con il suo costume intero. Lui, che faceva il bagno con gli occhiali perché la sua miopia era terribile, continuava a guardarla e a chiamarla, alla fine si arrese e si tuffò anche lei.

Si misero insieme pochi giorni dopo, ma ci volle almeno un anno per sapere la verità: una sera a Milano le confessò che lui detestava il mare gelato e sentiva sempre freddo. Aveva organizzato tutto solo per vederla in costume. Le aveva messo gli occhi addosso quando l'aveva incontrata per la prima volta, a una festa che il fratello aveva organizzato in casa con gli amici. Lei che era più piccola di cinque anni, era solo in terza media. Poi non si erano più visti.

Quel 25 aprile 1971 lei aveva 16 anni, quasi 17, faceva la prima liceo classico al Parini, era una ragazza molto carina. Corsero fuori dall'acqua quasi subito. La tempesta che avrebbe travolto le loro vite sarebbe scoppiata sempre in aprile, ma quattro anni dopo.

Sono Marta

Nel grande auditorium non è rimasto più nessuno, il rito della dedica dei libri è stato lunghissimo. Alla fine di ogni presentazione ripeto sempre lo stesso gesto: rimetto il cappuccio a tutti i pennarelli, tranne a quelli che sono scarichi; quelli buoni li infilo nella tasca interna della giacca, per gli altri cerco un cestino. Ne vedo uno sotto il palco di fronte all'uscita, mentre lo sto raggiungendo mi accorgo che sul lato sinistro è rimasta una persona, stringe la sua copia tra le mani e non dice niente. Penso sia arrivata in ritardo, allora torno indietro e le vado incontro.

Mi dice soltanto: «Sono Marta».

Allungo la mano, prendo il libro, e in automatico le dico: «Allora faccio la dedica a Marta?».

Chiedo ogni volta perché ho paura di sbagliare, per questo porto sempre una copia di riserva, da usare in caso di errore. Lei però non risponde, non fa nemmeno un cenno con la testa. Penso stia immaginando di regalarlo a qualcuno, invece continua a rimanere in silenzio, poi dice di nuovo: «Sono Marta... quella Marta».

Non capisco, ma all'improvviso un'immagine mi attraversa la mente, il testo di un messaggio arrivato da Algeri, e allora le sorrido: «Ciao Marta, sono contento di conoscerti, non pensavo ci saremmo incontrati».

È mercoledì 15 gennaio, a Lodi il mondo sembra ancora normale, nessuno può sapere quello che sta per scoppiare, che tra quattro settimane il virus sceglierà proprio questa terra per sbarcare in Europa e cambiare le nostre vite.

Non posso sapere che questa sarà l'ultima volta che incontro novecento persone tutte insieme: ci diamo la mano, ridiamo, facciamo foto. Siamo senza mascherine, senza disinfettanti e senza distanze da rispettare. Non esiste la paura.

Non posso nemmeno sapere che sto per iniziare un viaggio nella Milano degli anni Settanta, in quel territorio dove mi ero ripromesso che non sarei mai più tornato. Ma spesso non siamo noi a decidere cosa fare: è la vita che sceglie.

Il ragazzo e la bambina

È la mattina del 3 ottobre 2019, prima di fare colazione controllo i messaggi su Facebook, ho aperto la pagina solo da due settimane, con dieci anni di ritardo sul resto del mondo, e sono incuriosito dalle interazioni che si stanno creando. Trovo un messaggio diverso dagli altri, non commenta il libro che ho appena pubblicato, ma mi riporta indietro di oltre quarant'anni.

«Buonasera Dott. Calabresi, la leggo con piacere perché sono legato a lei dalla perdita di una persona cara a causa del terrorismo. Mi chiamo Piero Masolo, sono prete missionario del Pime in Algeria, sono nipote di Carlo Saronio, rapito e ucciso il 15 aprile 1975. Mi piacerebbe poterle inviare una mail per chiederle consiglio su come celebrare l'anniversario dello zio. La ringrazio di cuore.»

Quel nome mi dice qualcosa ma non riesco a collegarlo a nulla, eppure la storia degli anni Settanta l'ho frequentata tanto, anche troppo. Gli rispondo subito, dandogli la mia mail, e per curiosità mi metto a cercare notizie, trovo un libro che ricostruisce il sequestro e il processo per la morte, una serie di schede e una voce di Wikipedia.

Carlo Saronio, erede di una delle famiglie più benestanti di Milano, era laureato in Ingegneria e faceva ricerca all'Istituto Mario Negri. Venne sequestrato nella notte tra il 14 e il 15 aprile 1975 da una banda composta da criminali comuni e da appartenenti all'area di Potere Operaio, movimento di cui Saronio era stato simpatizzante. Il rapimento doveva servire a finanziare un nascente gruppo terrorista di estrema sinistra. La vittima, che non aveva ancora 26 anni, morì nelle prime fasi del sequestro a causa di una dose eccessiva di cloroformio, ma i rapitori, fingendo fosse ancora in vita, riuscirono lo stesso a ottenere il pagamento di una parte del riscatto. Il corpo verrà ritrovato solo tre anni e mezzo dopo.

Una storia quasi dimenticata, sepolta nella memoria della città.

Il sacerdote missionario mi scrive due giorni dopo e senza convenevoli va subito al punto: «In famiglia lo zio Carlo è sempre stato tabù, non se ne poteva parlare, e dunque non ne abbiamo mai celebrato l'anniversario. L'anno prossimo saranno quarantacinque anni dalla sua morte. Io non l'ho mai conosciuto, essendo nato nel 1978, ma è come se la sua presenza/assenza aleggiasse nell'aria. Con Marta Saronio, mia cugina e figlia naturale di Carlo, abbiamo finalmente pensato di ricordarlo. Semplicemente perché ci fa bene. È la mattina dopo che desideriamo». Seguono una serie di proposte a cui vorrebbero che collaborassi: un libro, un lavoro teatrale, un percorso con gli studenti nelle scuole.

Marta? Non riesco a capire di chi stia parlando, non ho letto nulla a proposito di una figlia, mi rimetto a cercare, ma non trovo niente. Vado a vedere negli archivi del «Corriere della Sera» e della «Stampa», ci sono alcuni articoli del 16 aprile 1975 che parlano del rapimento di questo ragazzo di una facoltosa famiglia milanese, ma che fosse padre non lo dice nessuno. Eppure se ci fosse stata una figlia si sarebbe saputo. Allora mando un messaggio al sacerdote e gli chiedo semplicemente chi sia Marta. Mi risponde subito: «La figlia di Carlo, nata otto mesi dopo il rapimento».

Questa frase mi sconvolge, cerco di immaginare la situazione: una ragazza incinta che resta improvvisamente sola, una bambina che non conoscerà mai suo papà, una storia di cui non c'è traccia. Ma una domanda mi entra in testa e passa davanti a tutte le altre: quel ragazzo, quando lo hanno rapito, sapeva che sarebbe diventato padre?

Questa storia è potente, ma ho già dato, non ho voglia di occuparmi ancora di anni Settanta, ho appena messo a fuoco il tema per un nuovo libro e sto imma-

ginando come costruirlo, lascio cadere la proposta.
Quella domanda sul ragazzo e la bambina però continua a tornarmi in mente, e allora un mese dopo scrivo io a padre Piero, chiedendogli dove viva Marta e
se lui ha in programma di tornare in Italia.

Mi risponde dopo Natale, mi racconta del suo lavoro ad Algeri, dove insegna al liceo della scuola italiana e anima un gruppo per l'educazione intercultura-
le dei giovani. Alla fine della mail aggiunge soltanto:
«Marta vive a Lodi».

Il 15 gennaio, alle 18.28, padre Piero mi manda un altro messaggio su Facebook in cui mi avvisa: «Mia cugina Marta, figlia di Carlo, è lì a Lodi a sentirla, credo
e spero che riusciate a incontrarvi. Grazie di cuore!».
La presentazione però è già cominciata da mezz'ora,
vedrò il messaggio solo a mezzanotte, nel frattempo
Marta avrà rotto gli indugi e, senza che io me ne ren-
da conto, questo libro ha già cominciato a scriversi.

L'eruzione

«Sono nata otto mesi e dieci giorni dopo la morte di mio padre. Quando lo rapirono, mia madre non sapeva che io sarei arrivata, quindi nemmeno lui. Mia madre amava tanto Carlo, ma non so se pensasse di tenere il bambino, lei non aveva nemmeno 21 anni, immagino volesse aspettare il suo ritorno a casa per decidere cosa fare. Quando capì che non lo avrebbe più rivisto fu distrutta ma decise che sarei nata e che mi sarei chiamata Marta.»

Sono passati dieci giorni dalla presentazione a Lodi, ci siamo scambiati un paio di messaggi e poi abbiamo deciso di vederci un giorno in cui è a Milano. Mi dà appuntamento alle 13 in piazza San Babila. Io arrivo in anticipo e faccio un giro per cercare un posto dove mangiare un panino. Vedo tutti questi bar affollati, con i tavolini attaccati uno all'altro, e mi sembra impossibile poter parlare con calma di una storia così delicata.

La pausa pranzo in centro a Milano è la negazione di qualunque discorso approfondito. Come potrei chiederle del padre che non ha conosciuto in una situazione del genere? Ogni racconto ha bisogno di un suo spazio, di una sua occasione. Passo davanti a Wagamama, ristorante asiatico famoso per le sue zuppe, nato quasi trent'anni fa a Londra e oggi diffuso in tutto il mondo. Mi sembra il posto giusto: è grande, ha tanti tavoli e si può restare seduti quanto si vuole. Ho mangiato spesso da Wagamama all'aeroporto di Heathrow, negli orari più impensati, e mi piace perché è un luogo anonimo, fuori dal tempo e dallo spazio, in cui non ci si sente osservati. Entro d'impulso e prenoto un tavolo per due. Mentre l'aspetto davanti alla fontana penso: e se l'etnico le facesse schifo?

Rimarremo seduti per quasi tre ore, alla fine divideremo anche un gelato al cocco. Marta è laureata in medicina, sposata, ha due figli e collabora con lo stesso centro dove faceva ricerca suo padre. È una donna schiva, non fa troppi preamboli, ha come un'urgenza di fare i conti con la sua storia. «Ho preso in mano i tuoi libri e ho cominciato a leggerli, sono venuta alla presentazione ma non sapevo cosa fare, poi ho pensato: "Sono qui, che senso ha andare via? Non ho proprio niente da dire?". Non era rimasto nessuno, tu mi hai vista, mi sei venuto incontro e sono riuscita soltanto a dire: "Sono Marta". Quello che non ti ho detto è che a 44 anni vorrei finalmente mettere la testa fuori, ma ho paura.»

Per quarant'anni non ha mai parlato di suo padre, mai fatto domande, tenuto tutto dentro in un patto del silenzio con se stessa. Poi all'improvviso, quattro anni fa, ha sentito che doveva spiegare chi era Carlo ai suoi figli, ha capito che non poteva più sfuggire alla domanda sul perché lei avesse un cognome diverso da quello dei nonni. «Ho cominciato a parlare e tutto è uscito come fosse un vulcano: c'è stata un'eruzione.» Sono riemersi dolore, ricordi, occasioni mancate, curiosità, ferite da sanare, luoghi e persone da scoprire.

Lo scorso anno, inatteso, è arrivato il cugino Piero, il prete missionario figlio della sorella maggiore di Carlo. Per strade tutte sue si era messo in cerca, lui che vive sulle fratture della Storia, dove la geografia e la religione parlano di divisioni, per affrontare una ferita profonda e rimossa nella sua storia familiare. Una ferita che meritava di essere sanata.

I due non si sentivano da anni, da quando lui vive in Algeria. La chiama e le dice che è a Milano, si incontrano, passano un intero pomeriggio a raccontarsi le loro vite. Poi Piero le propone di fare qualcosa per la memoria di suo padre, mentre Marta lo racconta le si riempiono gli occhi di lacrime: «Ho sperato tutta la vita che la famiglia lo facesse e si ricordasse della mia esistenza».

Piero si mette in cammino, nel sotterraneo della casa di campagna dei nonni apre un armadio, chiuso da chissà quanto tempo, e trova una serie di buste e scatole: lettere, fotografie, ritagli di giornale, disegni, documenti. Ma non gli basta, inizia a mappare i luoghi e a compilare elenchi di testimoni, convince Marta che il tempo dell'attesa è finito.

«Non me la sono mai sentita di cercare, ora forse vale la pena di scoprire chi fosse mio papà. Non ho fatto una vita brutta, ma è inevitabile che questa storia mi abbia lasciato un vuoto.» Mentre parla, Marta sprofonda nel collo alto beige, più va a fondo nella memoria e più si protegge con il maglione.

Quando è nata si chiamava Marta Latini. Fu la nonna Angela ad andare dall'avvocato Cesare Rimini per farla riconoscere e quando aveva 3 anni cambiò cognome diventando Marta Saronio. Andava spesso a trovare la nonna quando era bambina, nella grande casa in corso Venezia in cui era cresciuto suo padre, ma non ha mai sentito pronunciare le parole «papà» o «Carlo». «È morta nel 2002, a 91 anni, avrei avuto tutto il tempo per farle delle domande, invece niente. Un concorso di colpa. Anche con la mamma abbiamo sempre evitato l'argomento: io non ho mai chiesto e lei non mi ha mai detto. Avevo paura di smuovere cose che ci avrebbero fatto male. Così sono rimasta a mani vuote.»

Il padre era un pensiero costante, ma se le chiedevano qualcosa, allora pronunciava sempre soltanto cinque parole: «È morto, è stato ucciso». Evitava di dire che era stato rapito, perché questo avrebbe suscitato troppe domande a cui non era in grado di dare risposte.

Mentre l'accompagno alla metropolitana le chiedo perché non abbia mai cercato suo padre nei ricordi delle persone che lo conoscevano. «Ho sempre avuto paura. Paura di scoprire cosa c'era dietro la sua immagine riservata e silenziosa. Ma ora ho bisogno di fare pace con il passato, con la mia storia, qualunque essa sia. Quello che ho capito è che mio padre coltivava idee di giustizia sociale e la sua ricchezza gli dava disagio. Aveva studiato al Parini e poi al Politecnico, ma la sera andava a Quarto Oggiaro, nella profonda periferia milanese, a insegnare nelle scuole serali, dove si era avvicinato ai movimenti di estrema sinistra.»

Le carte della nonna. La mamma di Marta. Quarto Oggiaro degli anni Settanta. Il Parini della «Zanzara». I movimenti extraparlamentari. Troppe cose mi si affollano in testa, ci sono un sacco di piste da seguire, per prima cosa ho bisogno di fare ordine in tutto questo passato. Anche Marta si prende una pausa. Restiamo in silenzio per più di due settimane, poi mi scrive una mail:

«Ciao Mario,
è da tanto che ti volevo scrivere, ma non trovavo il coraggio, poi ho finito di leggere il tuo libro *Spingendo*

la notte più in là e mi sono così ritrovata in certe sensazioni che tu descrivi.

Non ti voglio far perdere tempo ma mi piacerebbe farmi aiutare nella scoperta di un papà che non ho mai conosciuto ma che è sempre qui con me.

Pensaci e non ti preoccupare per il tempo, ho aspettato fino adesso posso aspettare ancora.

A presto.

Marta»

Le rispondo subito con un messaggio, voglio riprendere il discorso, fare un elenco di persone da incontrare. Ma è arrivato il virus, da tre giorni intorno a lei c'è la zona rossa, decidiamo di aspettare, illusi che in un paio di settimane riemergeremo tutti dall'emergenza.

Tutti i soldi del mondo

Il padre di Piero, il notaio Ernesto Masolo, l'uomo che pagò inutilmente il riscatto di Carlo lasciando una borsa con 470 milioni di lire in contanti sotto un viadotto dell'Autostrada dei Fiori, muore di Covid il 5 aprile alle 2.30 di notte. Aveva compiuto da poco 82 anni, il virus lo ha ucciso in pochi giorni. Viveva da un anno, insieme alla moglie, in una Rsa a Piacenza, dove si è ammalato come tante migliaia di anziani condannati ad andarsene soli e senza conforto. Piero era bloccato in Algeria ed è riuscito ad arrivare in Italia soltanto quattro giorni dopo, sperando di dare sostegno alla madre, anche lei contagiata dal virus. A metà maggio ha celebrato il funerale di suo padre e gli ha dato sepoltura. La pandemia ormai era globale e il missionario non è più tornato ad Algeri, bloccato nella casa dei genitori sul lago di Como.

Nel giorno in cui finalmente si può riprendere a circolare tra regioni diverse lo vado a trovare.

Ha già preparato tutto: su un tavolo e un divanetto con lo schienale in legno intarsiato sono esposti in perfetto ordine riviste, ritagli di giornali, un mucchio di lettere, decine di fotografie, disegni, biglietti, quaderni, diari e documenti. Padre Piero sta scavando tra le carte di famiglia da settimane e ha tirato fuori tutto quello che potrebbe servirmi.

A dire il vero è da più di un anno che cerca, da quando una sera ad Algeri in comunità guardarono il film *Tutti i soldi del mondo* del regista Ridley Scott. È la storia del rapimento di John Paul Getty junior avvenuto a Roma nel 1973. «Nel momento in cui la madre del rapito riceve la prima telefonata con la richiesta del riscatto ho pensato allo sbalordimento e all'angoscia di mia nonna Angela quando seppe che Carlo era stato sequestrato. Così quella storia, che dormiva da decenni in un cantuccio della mia testa, si è risvegliata e quella notte ho deciso che dovevo capire, che quella cappa di silenzio della famiglia andava rotta.»

Padre Piero è giovane, dimostra meno dei suoi anni, è biondo, porta gli occhiali e il pizzetto. Mentre parla alzo gli occhi e vedo alle sue spalle un ritratto di Carlo, quello zio che non ha mai conosciuto, la somiglianza tra loro è impressionante. Piero capisce che li sto confrontando: «Lo so cosa pensi, fin da quando ero bambino mi ripetono: "Assomigli proprio al Carlo". Poi però, se chiedevo di raccontarmi di lui, allora tutti si chiudevano nel silenzio. La nonna si rifiutava di rispondere,

18

mia madre parlava con il contagocce e mio padre so-
spirava soltanto: "Ah, il povero Carlo". Così ho deciso
che quarantacinque anni dopo avrei provato a rompere il tabù e a capire insieme a Marta chi fosse suo padre, e perché la nostra famiglia era andata in pezzi».

Guardo tutte le foto, quelle di Carlo da piccolo sono
bellissime, così come i suoi disegni. Poi cresce e diventa sfuggente e malinconico. Ci sono poi le immagini
della casa di corso Venezia 30, del salone da pranzo
con l'immenso lampadario in vetro soffiato di Murano,
le tappezzerie damascate, le colonne di marmo, i vasi
cinesi, gli stucchi, i tappeti persiani e il grande tavolo
con il piano di cristallo intarsiato. Piero mi permette
di riempire due borse di carte e documenti, prometto che gli riporterò tutto nel giro di poche settimane.
Usciamo a camminare nel giardino.

Rimaniamo un po' in silenzio, poi Piero sintetizza il
senso della sua nuova missione in una frase soltanto:
«Quello che non ti dicono, alla fine te lo vai a cercare».

Seduti su una panchina in pietra di fronte al lago,
Piero mi aiuta a comporre un elenco di persone da sentire, di luoghi significativi da visitare e comincia a raccontarmi quello che sa, quello che ha capito e soprattutto quello che va ricostruito. La storia dei Saronio è
piena di ombre e di dolore, prima e dopo il rapimento di Carlo. Scopro da Piero che sua madre e sua zia
Maria, istigate dai cavilli escogitati da suo padre no-

taio, fecero causa a Marta perché fosse disconosciuta e perdesse il diritto alla sua parte di eredità. Ci furono anni di processi risolti solo con l'esame del Dna: «Una sofferenza che Marta non meritava, una ferita mai rimarginata».

Piero si copre la faccia con le mani, sente il peso delle azioni dei suoi genitori. Lo osservo meglio, non si veste da prete, ha i jeans, una felpa grigia e una piccola croce di legno al collo. «Per questo ho litigato con mio padre per vent'anni, non avevamo più rapporti. Il patrimonio del nonno fu dilapidato, mio padre si mise in testa di fare il costruttore ma sbagliò tutto, si riempì di debiti, le case di famiglia andavano a pezzi, le terre erano incolte, perse la ragione e cominciò a fare causa a tutti, fece causa anche a me. Finché non ha avuto un ictus, allora tutto si è azzerato e la nostra è diventata una relazione di cura.»

Il sole sta tramontando, torniamo in casa, devo recuperare le mie due grandi buste di documenti. Mentre sto per uscire riconosco il cristallo intarsiato di quel tavolo da ricevimenti che stava in corso Venezia e che ho visto nella foto. Dopo aver conosciuto case sempre più piccole e senza ospiti, è arrivato fin qui. Al centro è distesa una tovaglietta bianca, con due candele, un crocifisso, un calice coperto da un piattino e da un tovagliolo azzurro con il ricamo di una barca a vela. C'è poi un libro rilegato in pelle marrone. Quel tavolo prezioso, testimone muto dei fasti e della decadenza della famiglia, alla fine è diventato l'altare dove Piero dice messa ogni giorno.

Arrivo a casa e comincio a scavare nelle carte, a cercare un filo e un senso. La prima lettera che leggo parla di una baita sul lago, di ragazzi che salivano lassù a coltivare un'utopia, dell'irruzione all'alba dei carabinieri e della fine di un sogno. Scrivo a Piero per sapere se la baita esista ancora; mi risponde, come sempre, con un messaggio vocale: «Certo che esiste, chiedo le chiavi ai nuovi proprietari e ti ci porto, ma preparati che la salita è ben ripida».

Uno strano sorriso

«A me fa male ancora adesso parlare di Carlo, eppure sono passati quarantacinque anni.» Io e Silvia siamo seduti sulle panchine dei giardini pubblici di Porta Venezia, che oggi si chiamano «Indro Montanelli», davanti al Museo di Storia Naturale. Lei e Carlo ci passavano spesso, si fermavano sotto i tigli, camminavano lungo il filare di ippocastani. La casa di lui si intravede dal punto in cui ci troviamo. Per raccontarmi la storia di quell'amore giovanile, che avrebbe segnato tutta la sua vita, mi ha dato appuntamento esattamente dove la storia è cominciata e finita.

Silvia Latini, una donna solida e serena, in questo parco a dire il vero ci veniva fin da piccola, ricorda perfettamente quando nella grande fontana i bambini facevano navigare le loro barchette e quando, alla fine degli anni Cinquanta, ci cadde dentro: «Doveva essere inverno perché avevo il cappotto, ma era una giornata di sole ed eravamo andati al parco con mia madre e mio fratello. Avevamo un modellino di barca a vela e ci eravamo messi a giocare, ma si era allontanato e non arrivavo a prenderlo, così mi sono sporta troppo, ho perso l'equilibrio e sono finita in acqua. Non riuscivo a uscire, il fondo era melmoso, cercavo di rialzarmi ma i piedi slittavano e continuavo a scivolare. Uno sconosciuto è saltato nella fontana, mi ha afferrata per il bavero e mi ha tirata fuori».

«Non ho mai parlato molto, anzi quasi per niente, e non credevo che avrei mai accettato di raccontarti quella storia, ma Marta mi ha detto che ci teneva tanto, e lo ha detto in un modo che non lasciava spazio per una risposta negativa. Mi ha messo in mano il tuo numero di telefono e mi ha detto di chiamarti. Così, se sono qui, è per Marta. Anche con lei non ho parlato molto del papà, lei non chiedeva e io non dicevo nulla, scappavo dalla sofferenza.»

Cambiamo panchina perché all'ombra fa freddo, forse non abbiamo ancora rotto il ghiaccio e siamo bloccati dall'imbarazzo di aprire una pagina chiusa da così tanti anni: «Anche se è faticoso, forse è tempo di tornare laggiù. Marta ha diritto di sapere chi fosse suo padre, di conoscere quei ragazzi che l'hanno messa al mondo».

Si interrompe, capisco che sta tornando indietro di cinquant'anni: «Mi hanno detto che vuoi salire alla baita sopra il lago e mi è venuta una voglia fortissima di tornarci. Mi ricordo una sera Carlo lassù: la luna si rifletteva nell'acqua. Eravamo arrivati al tramonto e rimanemmo a dormire. Chissà se ce la farò ancora a fare quella terribile salita».

«Carlo nasce in questa famiglia ricca, il padre era un industriale della chimica, autoritario e severo, aveva idee a dir poco ottocentesche, e la madre non osava mai contraddirlo. Non lo hanno nemmeno mandato a scuola, ha fatto le elementari in casa con il precettore. Una cosa che ha sofferto parecchio: fino a 10 anni non ha mai avuto dei compagni di classe, mai un rapporto costante con altri bambini. Una cosa assurda. Penso che questo abbia inciso su quel suo carattere pensieroso e riservato. Aveva uno strano sorriso che non riuscivi a decifrare, un po' imbarazzato, un po' distante. Era il suo modo per difendersi, non si esponeva mai. Era molto geloso dei suoi sentimenti, si apriva poco, forse io ero quella con cui lui si lasciava andare di più, ma si faceva una gran fatica a bucare la sua bolla, a entrare nel suo mondo. Però, se riuscivi a rompere la barriera, allora era molto dolce e tenero.»

Ci spostiamo di nuovo, adesso fa troppo caldo. Le chiedo cosa le piacesse di questo ragazzo allampanato e silenzioso, prima di incontrarla ho riguardato tutte le foto che mi ha dato Piero, e ce n'è una sola in cui

sembra sereno, in tutte le altre ha l'aria assente o tor-
mentata. «I suoi occhi,» mi risponde sorridendo «i suoi
occhi dietro le lenti spesse degli occhiali. Era molto mio-
pe, conservo questa immagine di lui con i libri attaccati alla faccia, li teneva così vicini che sembrava ci si
nascondesse dietro. Gli piaceva tantissimo studiare.»
Carlo era un secchione in tutto, ascoltava soltanto
musica classica, aveva una collezione di dischi e andava ai concerti alla Scala. Silvia lo trascina negli anni
Settanta, cantano *Mi ritorni in mente* di Lucio Battisti e
lui scopre i Led Zeppellin.

Quando si conoscono, tra le onde di Bogliasco, Carlo
sta studiando Ingegneria chimica al Politecnico, si lau-
reerà con lode alla fine del quinto anno, pur avendo
già cominciato a fare ricerca a tempo pieno. L'amicizia
con Roberto, il fratello di Silvia, risale ai tempi del liceo al Parini. «Carlo faceva sport ma non era uno spor-
tivo, andava a cavallo, sciava bene e nuotava, ma non
stava molto a galla e aveva sempre freddo, anche perché era di una magrezza pazzesca, ma questo lo avrei
scoperto dopo. In quel primo fine settimana finse di
essere un uomo di mare.»

La figura più importante per Carlo non sono stati i
suoi genitori ma la tata, Luisa Plesnicar, rimasta in casa
fino ai suoi 21 anni. Quando ormai era grande e indipendente, lei si occupava del suo guardaroba, che tut-

ti i vestiti fossero pronti e in ordine. Era l'unica che lo trattava con grande confidenza, quella confidenza che non aveva con la madre. «Con la mamma non c'erano gesti affettuosi, lei al massimo gli sfiorava la fronte con un bacio, era una donna elegante, riservata, la ricordo seduta sul divano, sempre perfettamente composta, con la schiena dritta che non si appoggiava mai ai cuscini. E poi aveva tutti i doveri di società: pranzi, inviti, ricevimenti e il palco alla Scala.» Così Carlo è cresciuto con la tata, quando veniva la bella stagione si spostavano sul lago o in Liguria e si portavano dietro gli insegnanti.

Trovo la storia della tata in un appunto di Piera, sorella maggiore di Carlo: racconta che veniva dalla Slovenia, dalla Selva di Tarnova, aveva studiato puericultura alla Scuola di Vienna e il suo principio educativo era che i bambini sono tutti buoni, purché gli adulti non li vizino. «Quando io e mia sorella avevamo 8 e 6 anni» scrive Piera «è arrivato il Carlo e la tata è passata a occuparsi di lui, non senza recriminazioni da parte nostra. Ha seguito poi il Carlo fino all'università, solo allora ha deciso che era tempo di godere l'appartamentino che aveva affittato e arredato a Gorizia. Tornava però da noi in estate, per le vacanze, per qualche mese, poi quando il viaggio era diventato troppo pesante siamo sempre andati noi a trovarla.» Ha vissuto a Gorizia, indipendente e serena, fino a 101 anni.

Silvia ha tenuto vivo il legame con la tata Luisa anche dopo il rapimento e la morte di Carlo, in casa ha ancora i calzettoni di lana che faceva con i quattro ferri e regalava ogni anno a Natale a Marta, a Silvia ma anche al suo nuovo compagno Luigi e alla loro figlia Elisabetta: «Ricordo perfettamente quando l'ho incontrata per la prima volta, non era molto che stavamo insieme e Carlo mi disse che mi doveva portare a conoscerla, lo fece con un tono scherzoso ma, sotto sotto, era serio: "La tata per me è molto importante, deve darmi il suo giudizio, lei dirà se ci possiamo sposare e se sei adatta a fare figli". Così partimmo per Gorizia per ottenere la benedizione e la tata Luisa anche per me sarebbe diventata una figura familiare».

Dal punto in cui siamo seduti si vede la casa di corso Venezia 30 dove vivevano i Saronio, allora aveva tre piani, adesso ne ha cinque ed è la sede milanese di Diego Della Valle. Il piano terra era per i custodi e l'amministrazione, al primo piano l'area del ricevimento, con la sala da pranzo e i salotti, al secondo e terzo piano le camere da letto e gli studi. Gli estranei, ospiti e amici compresi, non salivano mai nei due piani più alti, anche Silvia dovette attendere parecchio prima di essere ammessa. Nelle strade c'erano già la contestazione, i figli dei fiori, la minigonna, ma in questo palazzo vigevano ancora regole antiche da società ottocentesca. È in questa contraddizione, in questa frattura temporale tra due mondi, che Carlo verrà inghiottito.

Parliamo di contraddizioni e mi viene in mente che Piero mi ha raccontato dell'amore che Carlo aveva fin da bambino per le automobili sportive, allora le chiedo che macchina avesse quando si sono conosciuti e le dico scherzando: «Dove vi siete dati il primo bacio?». Lei scuote la testa, sembra quasi arrossire: «Su una Porsche. Sul Ticino. Aveva fretta e mi ricordo che non trovavamo la strada e allora si fermò per chiedere informazioni: "Dov'è il Ticino?". "Quale Ticino?" "Il Ticino più vicino." Gli piacevano un sacco le macchine, gli piaceva la velocità, io avevo paura ma guidava bene, aveva una Porsche azzurra molto bella, io mi vergognavo da morire a salirci, andavo al liceo e per me quella macchina era imbarazzante. Per fortuna gliela rubarono. Non lo potevo dire, ma ero contenta. Dopo il furto della Porsche, non so perché, si comprò un'Alfasud. Dalla Porsche all'Alfasud... questo dice molto di lui e delle sue incoerenze».

Rolls-Royce

Comincio a leggere le carte che mi ha dato Piero, tra quelle che la madre raccolse dopo la morte di Carlo ci sono molte lettere di amici e insegnanti. Ne trovo una che fotografa alla perfezione il tormento di un ragazzo diviso tra due mondi. È stata scritta a macchina dalla sua professoressa di italiano, latino e greco del ginnasio, Alba Carbone Binda. La spedì il 10 gennaio 1979, poche settimane dopo il ritrovamento del cadavere di Carlo, e nel biglietto di accompagnamento, scritto a mano, parla di uno «studente indimenticabile».

Racconta di un tema che Carlo scrisse quando aveva 13 anni, in cui mostra la sua sofferenza e demolisce il «mondo in livrea» costruito da quei due genitori che erano nati in campagna ma avevano conquistato ricchezza, potere e il centro di Milano. Già ai tempi della scuola Carlo veniva preso in giro dai compagni quando il «Corriere» pubblicava la classifica dei contribuenti milanesi e la sua famiglia era sempre nei primi posti dopo i Rizzoli, i Crespi, i Pirelli, i Borletti e i Mondadori. Silvia ricorda che questo gioco andò avanti fino alla fine, ancora nel 1973 Angela Boselli, vedova Saronio, aveva un imponibile annuale sopra i 100 milioni di lire e gli amici aspettavano Carlo con il giornale in mano per commentare ironici e chiedere che almeno offrisse a tutti il caffè.

Carlo era stato allievo della professoressa in quarta e quinta ginnasio al Parini, dal 1962 al 1964. Aveva sempre il massimo dei voti in tutte le materie, tanto che completò il biennio con la media dell'otto, il voto massimo allora in uso nel famoso liceo statale milanese. Nelle versioni di latino e di greco, ricorda Alba Carbone Binda, non commetteva mai errori e «quando ne trovavo uno, avevo sempre il dubbio che l'avesse fatto di proposito per adeguarsi ai compagni». La professoressa iniziò a notare in Carlo un contrasto doloroso: «Come se la sua chiarezza mentale fosse dominata da un'instancabile volontà di mortificazione intima». Così cominciò a parlargli, per cercare, senza riuscirci, «di scalzare i presupposti morali di questa tortura». «Sentiva su di sé un privilegio di natura che non avrebbe potuto eliminare senza distruggere se stesso, ma considerava il privilegio sociale ed economico in cui la sorte lo aveva fatto nascere come estraneo da sé e meritevole di contestazione.»

Fa impressione vedere come avesse compreso, per prima e soltanto lei, i motivi dei silenzi di quel ragazzo, che dopo aver fatto le elementari in casa con insegnanti privati era stato mandato dai gesuiti del Leone XIII. Lì, Carlo aveva cercato di incanalare il suo disagio nell'idea di entrare in seminario per farsi prete. Ipotesi che aveva scandalizzato il padre, che aveva poi ironizzato per anni sulla sua religiosità, ripetendo la stessa battuta: «Bisogna che gli distrugga tutte le chiese, se no mi diventa papa». Il ragazzo entrò in una crisi profonda, che la madre definì esaurimento nervoso: sentito il medico di famiglia, la decisione fu quella di spostarlo alla scuola pubblica.

La professoressa invece aveva capito l'origine di quel malessere all'inizio della quarta ginnasio, quando cominciò a correggere il primo tema che, anni dopo, definirà «un'ingenua confessione». Carlo raccontava una domenica con la sua famiglia, una gita fuori porta e la vergogna di essere diverso dagli altri. Esprimeva il grande disagio di sentirsi osservato: appena si erano fermati nella piazza principale del paese ed erano scesi dalla Rolls-Royce guidata dall'autista, tutti i bambini del luogo si erano affollati intorno a lui, incuriositi per la macchina fotografica che portava a tracolla e per l'autista in livrea. Avrebbe voluto scomparire e quella sensazione rimase talmente forte in lui da spingerlo per anni a girare senza una lira in tasca e a rincorrere spasmodicamente una sognata normalità.

Quando restituì i temi, la professoressa lo prese da parte e gli spiegò che «non era una colpa avere ciò che

Dio o la fortuna hanno elargito», ma che invece sarebbe stata una colpa «farne cattivo uso senza sforzarsi di rendersene degni». Il dialogo con la professoressa, iniziato quel giorno, proseguì per dieci anni, durante il liceo, l'università e perfino quando Carlo andò a fare ricerca negli Stati Uniti. Le scrisse una lettera da Filadelfia, in cui si diceva «amareggiato per lo spettacolo del benessere consumistico in una società incurante della miseria e della fame nel mondo». Anche in quell'occasione lei gli rispose che il mondo è fatto di bene e di male, e che lui avrebbe potuto contribuire a costruire una società più armonica. Carlo non rispose e non si sentirono più, e lei nella lettera alla madre non nasconde il suo dispiacere per aver perso il rapporto e il suo dolore per quella morte inspiegabile: «Forse si credette frainteso o semplicemente mi giudicò incapace di condividere il suo sdegno e il suo sogno umanitario. Dopo poco più di un anno la luminosa promessa che era in lui fu soffocata da un ottuso tampone di cloroformio. Sbagliò a non sospettare la malizia di chi lo tradiva mentre gli chiedeva aiuto. Spero che Carlo non lo abbia saputo, che fino all'ultimo respiro lo abbia accompagnato la sua fiducia».

Mi metto a cercare le foto di classe del Parini, sogno di trovare quella della quarta ginnasio, di vedere Carlo e la sua professoressa, di guardare le loro facce, di immaginare il loro dialogo. Pensavo fosse impossibile e invece, dopo un viaggio fatto di tentativi nell'archivio delle foto di classe del Parini, si materializzano davanti ai miei occhi i trentadue ragazzi della IV C. Sono disposti su quattro file, sono insieme al preside, Daniele Mattalia, che da poco aveva pubblicato per Rizzoli un commento alla *Divina Commedia* che verrà ristampato per trent'anni. Nessuno può immaginare che nel febbraio 1966 verrà travolto dallo scandalo della «Zanzara», il giornale interno «colpevole» di aver pubblicato un articolo con le opinioni di nove studentesse sull'educazione sessuale e il ruolo della donna nella società, in cui si parlava di rapporti prematrimoniali, di contraccezione e divorzio. I tre studenti che lo avevano scritto vennero denunciati e processati (poi assolti), e il caso infiammò l'opinione pubblica italiana arrivando perfino in Parlamento.

Proprio Carlo Saronio, che faceva parte di Gioventù Studentesca, l'associazione cattolica ispirata da don Luigi Giussani che si trasformerà poi in Comunione e Liberazione, fu tra i promotori di un volantino che criticava l'articolo definendolo superficiale e contrario «al costume morale comune» e venne convocato dal preside con altri tre studenti per difendersi dall'accusa di aver portato la polemica sui giornali nazionali, raccontando la storia al «Corriere Lombardo». Due anni dopo il preside Mattalia verrà rimosso dall'incarico per aver concesso l'aula magna della scuola agli studenti «contestatori», poche settimane dopo verrà eletto deputato come indipendente nelle liste del Pci.

Nella foto non c'è nemmeno un lontano sentore di tutto quello che dovrà accadere, c'è un'aria lieve, quasi allegra. Le ragazze sono venti, i ragazzi soltanto dodici e occupano l'ultima fila, quella più in alto. Tutti hanno la cravatta, tranne uno: Carlo. Ha una camicia bianca, chiusa fino all'ultimo bottone, e anche i tre bottoni della giacca a quadretti sono allacciati, quasi a proteggersi. È ancora piccolo, sappiamo che sente il disagio per la ricchezza e il privilegio, ma non lo si potrebbe definire uno studente di sinistra, anzi, i temi morali lo portano a criticare la rivoluzione dei costumi.

Carlo ha una penna stilografica nel taschino e sulla faccia da bambino spiccano grandi orecchie a sventola e occhiali spessi. Guarda fisso in camera e accenna un sorriso. Esattamente di fronte a lui c'è una donna con un vestito a fiori: ha i capelli corti, è raggiante, orgogliosa dei suoi studenti. È Alba Carbone Binda. In un angoletto della rete, dentro l'archivio degli ex alunni del Parini, Carlo e Alba sono ancora insieme.

Sullo scivolo

«Anch'io allora ero un paladino della campagna contro quei "degenerati" della "Zanzara", con Carlo ci sentivamo difensori della morale e pensavamo che non fosse tollerabile che sul giornale della scuola uscissero interviste sui costumi sessuali degli studenti. Quante cose sarebbero cambiate in pochi anni, io sarei andato con il gruppo del Manifesto e Carlo nell'area di Potere Operaio.» Sono venuto all'Istituto di Ricerche Farmacologiche Mario Negri, dove Roberto Latini, il fratello di Silvia, studia le malattie ischemiche del cuore. Ha i capelli bianchi e l'aria sportiva di chi cammina tanto in montagna, è appena tornato da un'escursione lungo le trincee della Grande Guerra.

Ha studiato anche lui al Parini e quando entrò al ginnasio si avvicinò a Gioventù Studentesca. Il movimento prevedeva che i nuovi arrivati venissero affidati a un tutor, e lui venne assegnato a Carlo, che era più grande di tre anni. «Carlo svolgeva il suo compito con metodo ma il problema era che non parlava molto, anzi pochissimo. Avrebbe dovuto prendermi per mano e avvicinarmi alla fede, ma onestamente io non ho mai visto in lui un uomo di fede, forse per lui la religione era un modo per esprimere il suo disagio.» Lo chiamava al telefono la sera dopo cena, gli chiedeva come stava e poi rimaneva in silenzio. Si vedevano ogni mattina, prima della scuola, per recitare le lodi nella chiesa di San Marco e la domenica andavano a far giocare i bambini a Quinto Romano o a Chiaravalle. «Eravamo sulla stessa sponda, quella della reazione ai costumi che cambiavano, si può tranquillamente dire che eravamo reazionari.»

Poi arriva il Sessantotto e sarà come una tempesta che rimescola le carte, questa volta è Roberto a trascinare Carlo nel gruppo del Vangelo della parrocchia di Santa Francesca Romana, non siamo più nelle chiese del centro, qui siamo a metà di corso Buenos Aires, qui si comincia a discutere di occupazioni studentesche, di emarginazione, di diritti, di povertà. Quel periodo è stato davvero una cesura: un percorso legato alla fede e alla religione diventa sociale. L'imperativo era che non si poteva più stare a guardare. «Io cominciai ad andare nelle case popolari, alle riunioni di caseggiato dove si discuteva di sciopero degli affitti, Carlo invece si spinse a Quarto Oggiaro insieme a un gruppo di ragazzi che si raccolse intorno a un sacerdote, don Beltramini.»

Sarà un lungo viaggio quello nella periferia più profonda, un viaggio che lo cambierà e che deciderà il destino della sua vita. A Quarto Oggiaro scoprirà l'impegno sociale ma conoscerà anche un ragazzo più grande di lui, Carlo Fioroni, che lo porterà nel mondo dei movimenti extraparlamentari, e sarà affascinato dall'idea di sovvertire quel sistema rappresentato dalla sua famiglia, quel sistema che lo soffocava e di cui si vergognava. «Però teneva coperte le sue idee politiche in modo assoluto. Io non sapevo praticamente nulla delle sue affiliazioni e anche mia sorella non ha mai capito niente di quella parte della vita di Carlo, e questo la faceva soffrire, soprattutto quando lui spariva senza dare spiegazioni.»

Roberto Latini mi racconta che c'era un uomo che aveva capito tutto e che provò a spiegare a Carlo com'era il mondo della sinistra extraparlamentare, cercò in ogni modo di metterlo in guardia da Fioroni e soci, perché aveva chiaro quanto fossero pericolosi, ma lui non lo ascoltò o, forse, quando si decise a dargli retta ormai era troppo tardi. «Tante volte ho pensato a come avremmo potuto aiutarlo, ma era impossibile, lui non chiedeva aiuto a nessuno e ci guardava con il suo sorrisetto, come se pensasse che noi non capivamo nulla. Invece era lui a non aver capito.» Non mi dice chi fosse questa persona, penso che non ci sia più, che sia un altro fantasma con cui fare i conti, poi all'improvviso prende un pezzo di carta e comincia a scrivere con un pennarello: «Bene, devi andare a incontrarlo, era il mio capo qui al Mario Negri, si chiama Gianni Tognoni e lo trovi ancora a Quarto Oggiaro. Lui davvero conosce il Carlo di Quarto Oggiaro, non quello di corso Venezia. Questo è il suo numero, spero ti risponda, in tanti non hanno voglia di riaprire quel cassetto dei ricordi, sono quarant'anni che nessuno parla più di questa storia».

Poi abbassa la voce, si guarda in giro, ha sul tavolo la foto del cuore di un maiale sezionato che fa parte della sua ricerca sulle malattie ischemiche, e mi dice: «In questi quarant'anni non mi è mancato solo l'amico che presentai a mia sorella, quello che prendevo in giro perché a casa mangiava bresaola al limone, quello che non aveva mai un soldo in tasca e ci toccava pagargli il caffè, quello generoso che prestava la macchina a tutti ma poi scoprivi che era a secco di benzina, quello con cui andai in barca a vela a Bogliasco, mi è mancato un collega di studi in questo posto. La sua vocazione era la ricerca, era la scienza, è stata una delle persone più intelligenti che abbia incontrato in questo Istituto».

Chiedo a Roberto quale sia l'immagine più bella che gli sia rimasta di Carlo, non ha bisogno di pensarci molto e mi parla di una foto che gli scattò a Londra un'estate: «Mio papà, quando ero studente, mi mandava durante le vacanze a lavorare in una fabbrica che costruiva mungitrici e strumenti per la lavorazione del latte, era la filiale britannica dell'azienda in cui era impiegato a Milano. Così imparavo l'inglese e anche cos'era una catena di montaggio. Carlo un giorno mi venne a trovare, passammo la giornata in giro per la città, avremo scambiato molte meno parole di quelle che ci siamo detti io e te in dieci minuti, ma non era importante. Poi verso sera andammo a Hyde Park e lui salì su uno scivolo. Gli feci una foto che è la cosa più cara che mi è rimasta: ha l'aria seria ma è su un gioco dei bambini. Era lui».

La storia è questa

Alla fine della nostra passeggiata nei giardini di Porta Venezia, Silvia abbassa impercettibilmente la voce e mi racconta di quando Carlo nascose in casa Carlo Fioroni, a metà marzo 1972, nei giorni successivi al ritrovamento del corpo senza vita di Giangiacomo Feltrinelli.

Fondatore della casa editrice, ma anche dei Gruppi d'Azione Partigiana (Gap), Feltrinelli sognava una nuova resistenza armata, fatta di guerriglia urbana, che portasse a una rivoluzione comunista. Dopo essere entrato in clandestinità, morì mentre cercava di mettere una bomba su un traliccio dell'alta tensione a Segrate per provocare un blackout a Milano. Per un errore del timer la dinamite esplose quando era ancora tra le sue mani. Un gruppo di intellettuali milanesi sostenne che era stato ucciso, che l'attentato era una montatura, poi furono le Brigate Rosse a smentirli, rivendicando il gesto rivoluzionario del compagno Feltrinelli. Il pulmino Volkswagen con cui Feltrinelli era arrivato sotto le linee dell'alta tensione era stato assicurato da Fioroni, allora militante nei Gap, che per questo era ricercato.

La polizia lo cercava e Carlo, all'insaputa della madre, gli diede ospitalità. Non disse niente a nessuno. Un pomeriggio Silvia andò a trovarlo, era in anticipo e quando arrivò alla porta della sua camera sentì che discuteva con qualcuno. Riconobbe la voce di Carlo Fioroni, che aveva incontrato qualche tempo prima. Allora si fermò senza entrare. Carlo uscì dalla stanza facendo finta di niente. «Non gli chiesi nulla, volevo starne fuori.»

Restiamo in silenzio, Silvia forse immagina quello che mi sta passando per la testa: un ricco ragazzo che nasconde in casa un ricercato dalla polizia. Che legami aveva con Fioroni? Fin dove si era spinto? Come era possibile che lei non avesse fatto domande, le sembrava tutto normale?

Allora riprende a parlare: «Vedi, il mondo era diverso e oggi può essere difficile capirlo, c'era l'idea che i ragazzi che militavano fossero perseguitati politici, che fosse giusto nasconderli, che ci si dovesse difendere dalla polizia. Io avevo 18 anni, ero una ragazza di sinistra che doveva ancora fare la maturità, andavo alle manifestazioni ma frequentavo il gruppo del Vangelo in parrocchia e tutte queste cose stavano insieme». La guardo e capisco perché non ha parlato per più di quarant'anni: pensa che sia impossibile capire, solo lei, nella sua memoria privata, riesce a tenere insieme tutto.

Ci salutiamo, cammino per il centro di Milano, continuo a pensare a Carlo Fioroni nascosto in corso Venezia dopo la morte di Feltrinelli, a soli 950 metri da chi lo cercava: quelli della Questura di via Fatebenefratelli. Mi sembra incredibile che non lo sapesse la polizia ma nemmeno la madre di Carlo.

È rimasto solo un uomo di quella Questura a cui chiedere cosa ricorda di quei giorni, gli altri sono tutti morti, chi ucciso dai terroristi, chi dal tempo. Antonio Pagnozzi ha 84 anni, ha fatto il questore a Roma e Genova ma in quel 1972 era nella squadra politica milanese, ci era entrato nel 1967, esattamente il 17 novembre, il giorno in cui settecento studenti occuparono l'Università Cattolica, primo atto del Sessantotto milanese. «Siccome ero l'ultimo arrivato, allora mi assegnarono la scuola e tutto il mondo degli studenti, pensando che fosse la cosa meno importante, un incarico per pivellini, invece quella stessa sera diventò il tema caldo che avrebbe stravolto la città. Me ne occupai per sei anni, il tempo di vedere le rivolte studentesche invadere le strade e poi diventare terrorismo. Nel 1973 venni nominato capo della Squadra mobile, non si può nemmeno immaginare cosa fosse Milano alla metà degli anni Settanta: scontri politici, rapine, bische, droga, gioco d'azzardo, sequestri di persona, tra cui quello di Saronio. La città era un Far West, oggi si ricordano gli "anni di piombo" ma erano anche gli anni di Vallanzasca e Turatello, delle rese dei conti tra le bande della mala.»

Non ricorda i dettagli del rapimento di Carlo, ma nelle carte delle indagini il suo nome torna spesso, si dispiace di non potermi aiutare e si giustifica: «Mi trovai a indagare su nove sequestri in contemporanea. Un delirio».

Gli chiedo allora di Carlo Fioroni, perché fu lui nel 1975 a scoprire che si era rifugiato tre anni prima nella casa del ragazzo di cui avrebbe architettato il sequestro. Gli chiedo di quel '72, di quando lo cercavano per fare chiarezza su Feltrinelli. «Non ero io che lo cercavo, ma il mio vicino di scrivania: tuo padre. Fu lui che sotto il traliccio riconobbe in quel corpo dilaniato quello dell'editore, anche se era senza baffi, e fu lui che risalì all'intestatario dell'assicurazione del pulmino. Ma poi non ebbe tempo per conoscere gli sviluppi di quella storia. Era marzo, e due mesi dopo io ero tra quelli che portarono la sua bara sulle spalle. Mi dispiace, Mario, ma la storia è questa.»

Quarto Oggiaro

Il più grande quartiere di edilizia popolare degli anni Sessanta: una sequenza infinita di casermoni costruiti in un decennio per ospitare le famiglie di emigranti che arrivavano dal Sud per lavorare nelle fabbriche. Quando Carlo lo scopre ci sono solo case, pochissimi servizi, emarginazione, disagio e criminalità. Tra le lettere che sto leggendo, quelle che escono dalle borse di documenti che ho preso sul lago, ho trovato un foglio strappato da un quaderno a quadretti su cui Nerina Levi, la professoressa di musica di Carlo che insegnava proprio nel quartiere, aveva scritto: «Ah, Quarto Oggiaro! Come lo avevo sconsigliato di andarci. Ma lui mi rispondeva che non faceva male a nessuno e mi chiedeva invece della mia scuola, degli interessi dei ragazzi costretti a vivere in un ambiente di estrazione sociale così delicata, particolarmente disagiati in ogni campo».

La prima volta che Gianni e Carlo si incontrano a Quarto Oggiaro è nell'estate del 1969. Carlo aveva appena compiuto 20 anni, studiava Ingegneria chimica alla Statale e un pomeriggio si presentò alla porta dell'Istituto Mario Negri. Ne aveva sentito parlare in casa da un amico dei suoi genitori. Ci passava davanti ogni volta che andava da don Giovanni Beltramini e ogni sera in cui insegnava alla scuola popolare. Ingegneria chimica gli stava stretta, l'aveva scelta solo per far contento il padre che era scomparso l'anno prima, e ancor di più gli stava stretta l'idea di fare lo studente che sta a casa con la mamma. Voleva entrare nel mondo e contaminarsi, voleva lavorare e dare un senso a quel malessere che lo tormentava. Si presentò in portineria e chiese di parlare con il fondatore Silvio Garattini, il che non stupì il custode, capitavano spesso ragazzi che cercavano la possibilità di collaborare nelle ricerche. Erano tempi di continua espansione: il Negri era nato da poco più di cinque anni, era la prima fondazione privata italiana dedicata interamente alla ricerca scientifica.

«La mia porta era sempre aperta» mi racconta Garattini, che oggi ha 92 anni. «Si presenta questo ragazzo alto, magrissimo, con i capelli lunghi ma vestito in modo elegante e per prima cosa mi chiede: "Ma voi qui cosa fate esattamente?". Era un tipo timido ma estremamente curioso, mi fece impressione la velocità

45

della sua intelligenza e il fatto che dopo un attimo era passato a parlare della necessità di aiutare a leggere e scrivere i ragazzi che arrivavano dal Meridione, molti dei quali analfabeti. Si percepiva un grande desiderio di impegnarsi o, come si diceva una volta, di "fare del bene". Io avevo vari filoni di ricerca in cui uno che studiava Ingegneria chimica poteva essere molto utile, così gli diedi la possibilità di venire qui. Si dimostrò un ragazzo eccezionale, per dedizione alla ricerca e curiosità e si fece subito voler bene. Aveva metodo e poneva domande ben centrate. Nel 1973 vinse una borsa di studio per andare un anno a Filadelfia nei laboratori del grande studioso Britton Chance all'Università della Pennsylvania. Tornò galvanizzato, decise di prendere una seconda laurea in medicina, ma pochi mesi dopo la sua vita era finita. Non ho mai capito il rapporto che lo legava al gruppo che poi lo avrebbe rapito, mi era chiaro soltanto che li frequentava mosso da un'idea di giustizia sociale.»

L'approdo a Quarto Oggiaro era anche la naturale conseguenza del lavoro sul Vangelo fatto per anni in parrocchia. Allora si usava dire «andiamo in quartiere», per i credenti era un modo di riscoprire i collegamenti tra Bibbia e impegno nel sociale, lo facevano per confrontarsi con povertà ed emarginazione, erano motivati da volontà di partecipazione, da spirito di servizio. Per gran parte degli anni Sessanta impe-

gnarsi aveva significato andare a far giocare i bambini, pregare, raccogliere fondi per le missioni, ma presto non bastò più, tanto che quell'energia dei cristiani
fu il motore iniziale del Sessantotto, non solo contestazione ma iniziative pratiche per cambiare la società.
Gianni Tognoni quel giorno al Mario Negri c'era.
«Ricordo quando arrivò, lo si notava, si era avvicinato e mi aveva chiesto: "Tu abiti proprio qui a Quarto
Oggiaro? Sei di questo mondo?". Poi mi aveva parlato della scuola popolare dove andava nel tardo pomeriggio. Diventammo molto amici.»
Dopo il rapimento, Tognoni fu l'unico che provò
a spiegare alla madre cosa avesse significato Quarto
Oggiaro per Carlo. Lo fece con una lettera scritta a
mano che la signora Angela conservò e che è ancora
oggi tra le sue carte: «Carlo tenne sempre viva quell'a-
ria della prima volta: desiderio e bisogno di vedere
le realtà nascoste, quelle realtà così lontane e diverse dalla sua storia e dalle persone con cui viveva tutti
giorni». E poi le racconta le corse in macchina e le se-
rate passate a discutere, in cui Carlo chiedeva consi-
gli sui libri da leggere o spiegazioni sulle sue scelte di
vita, perché Gianni Tognoni era un prete francescano
e a Quarto Oggiaro lui non ci andava, lui ci abitava. E
ci vive ancora oggi.
Aveva messo in piedi una comunità in quello stesso
piccolo appartamento in cui lo vado a trovare. Gianni
era il volto pulito, idealista e non violento di quel-

la stagione, non aveva timore di dire a Carlo quanto
considerasse sterili e pericolose le politiche «clandestine» ed «eversive», discuteva con lui le strade possibili per costruire una società diversa, strade che però
dovevano avere alla base la fiducia e la chiarezza. Era
un modo per contrapporsi all'altra faccia di quel luogo e di quel tempo, che trovava la sua incarnazione in
Carlo Fioroni, nella sua militanza nei Gap dell'editore
Giangiacomo Feltrinelli e in Potere Operaio, mondi fatti di doppie vite, propaganda violenta e per l'appunto clandestinità. Scrivendo alla madre, Tognoni parla
anche del Carlo «politico» e delle sue scelte: «di questo volto ho potuto percepire solo, a volte, l'inquietudine, l'ingenuità e la ricerca».

Rileggo la lettera dopo aver parcheggiato in via Les-
sona a Quarto Oggiaro. Mi rendo conto che la frattura
interiore che tormentava Carlo, tra la vita agiata e iso-
lata della sua famiglia e la voglia di una normalità, non
basta a raccontare una biografia. Carlo aveva tante linee
di frattura e le contrapposizioni anziché trovare una faticosa sintesi si moltiplicavano. Dopo aver parlato con
Marta pensavo che la vicenda di suo padre si potesse
leggere in una tensione tra ricchezza e povertà, tra centro e periferia. Ma quando Carlo arriva in periferia apre
una nuova contrapposizione: da un lato l'opzione di un
impegno non violento, dall'altro l'eversione. E al bivio
non sceglie una strada ma le percorre entrambe.

Suono il citofono di Gianni Tognoni. Mi viene incontro sulle scale, è molto cortese, parla con voce bassa, ha un camiciotto a maniche corte a quadretti azzurri. La casa è spoglia, essenziale e ordinata. Qui alla fine degli anni Sessanta vivevano anche dieci persone contemporaneamente, dormendo nei cinque letti a castello, oggi c'è solo silenzio. Il percorso che lo portò qui è affascinante e incredibile.

Nato in provincia di Varese nel 1941, studiò Teologia e prese i voti a 23 anni come francescano. Mentre era già in convento si iscrisse a Medicina alla Cattolica a Roma, dove era diventato cappellano all'ospedale Gemelli. Nel 1968 partecipò all'occupazione simbolica di piazza San Pietro con gli studenti di Medicina, che protestavano contro il numero chiuso e i criteri di ammissione. Poi, all'inaugurazione dell'anno accademico, fu tra i cento che bloccarono l'ingresso dei cardinali sedendosi di fronte al portone. La risposta fu dura e senza appello: non gli fu permesso di frequentare il quinto anno. La sua colpa era di essere «un frate che dava il cattivo esempio».

Venne trasferito a Milano, dove si iscrisse all'Università Statale. Prima ancora della laurea, che sarebbe arrivata nel 1970, iniziò a fare ricerca al Mario Negri. La situazione, però, non era più sostenibile: lavoro, studio, impegno sociale e convento. Così uscì dalla confraternita, smise di dire messa e venne a vivere in questa casa. «Ho incrociato subito la realtà delle lotte operaie, qui vivevano quelli che lavoravano all'Alfa Romeo al Portello, qui c'era la scuola popolare delle 150 ore, la medicina democratica, i preti operai. Quarto Oggiaro era un quartiere malfamato, con una presenza forte della malavita, ma vivo, e questo attraeva molti giovani.»

Tognoni, prima di incontrare Carlo Saronio, aveva conosciuto Carlo Fioroni e da subito gli era sembrato un personaggio equivoco di cui non fidarsi: «Compariva nelle vesti più diverse, si infiltrava in tutti i gruppi, mentiva. Si presentava come insegnante, da qui il soprannome di "Professorino" con cui divenne poi noto, e partecipava alla scuola popolare, dove probabilmente conobbe Carlo. Ma ogni volta che si faceva una verifica su chi fosse, si trovava qualcosa che non quadrava».

Per farmi capire il clima in cui si muoveva Fioroni, in cui faceva proselitismo, e l'ambiente con cui si era trovato a contatto Carlo, mi racconta una delle tante riunioni che si tenevano negli scantinati delle case popolari: «Una sera saltò fuori l'idea di organizzarsi come i Tupamaros, l'organizzazione della guerriglia urbana che combatteva nelle strade il regime in Uruguay, con furti, rapine, scontri armati e sequestri. Quella sera c'erano studenti e operai, affascinati dagli echi che arrivavano dall'America Latina, e capii subito che l'ispiratore di questa discussione era Fioroni. Allora presi la parola: "Siete pazzi e non sapete di cosa state par-

lando, qui non siamo in Uruguay, qui non c'è la dittatura, qui non ci sono gli squadroni della morte e l'e-
sercito nelle strade". Ma non riuscii a farli ragionare,
mi risposero parlando di "Calabresi e della repressio-
ne" e continuarono a riunirsi nei giorni successivi per
discutere questa opzione».

Si ferma, mi guarda con aria interrogativa, si sta
chiedendo se sia opportuno continuare, poi lo fa: «Mi
ricordo che si citava sempre tuo padre, in qualunque
discussione saltava fuori il commissario Calabresi, era
obbligatorio. Era diventato un simbolo, utile per sostenere qualunque tesi». Gli faccio segno con la testa che
conosco bene la storia, che non si preoccupi, ma lui si
sente in dovere di aggiungere: «Io non amavo il ruolo
di tuo padre, ma non sopportavo la sproporzione tra
la realtà e le accuse che gli venivano fatte».

In quegli scantinati i ragazzi si mescolavano con vecchi operai portatori dei valori della Resistenza, di un'i-
dea di Resistenza tradita, e una guerriglia in stile sudamericano sembrava la risposta e la prosecuzione ideale
della guerra partigiana. «Ma io non lo accettavo, avevo
conosciuto a Roma molti medici e sacerdoti che erano
stati imprigionati e torturati in Brasile e in Uruguay,
gente che era scappata di notte e che viveva in esilio.
Ricordo il libro di Frei Betto, frate domenicano impri-
gionato dalla dittatura militare brasiliana, che si inti-
tolava *Dai sotterranei della storia*, parlava di un mondo
che non aveva nulla a che fare con l'Italia. Continuavo

a partecipare alle riunioni e ogni volta che si immaginava la lotta armata mi mettevo contro: "Voi non avete idea di cosa significhi, non avete idea dei contesti, qui siamo in una democrazia, qui ci sono strutture che devono essere portate avanti come i partiti e i sindacati". Purtroppo, mancava l'intelligenza di capire la realtà e quelle sirene avevano un gran fascino. Comunque in queste riunioni saltava sempre fuori il nome di Fioroni, non faceva niente ma era dappertutto.»

Gli chiedo se Fioroni sia mai venuto in questa casa, se lo abbiano avuto come ospite della comunità. «Certo che ci ha provato. Un giorno si è presentato qui e ha chiesto se potesse considerare questa "comune" come rifugio per compagni in pericolo. Non lo lasciai nemmeno finire di parlare, lo accompagnai alla porta e gli dissi: "Non fare il furbo con me, non venire qui a giocare: in questa casa non devi mettere mai più piede". Poi lo feci anche cacciare dalla scuola popolare.»

Carlo invece veniva spesso, si fermava a cena ma mai a dormire: «Era più giovane di noi e apparteneva a un altro mondo, ma era affascinato da una tavola a cui ci sedevamo in dieci, tutti stretti. Ricordo un amico che faceva un risotto alla milanese favoloso, molto ricco, ci metteva pure la salsiccia e Carlo lo divorava. Era contento qui. Sarebbe molto bello trasmettere a Marta l'immagine di un papà che gustava le cose del quotidiano della vita, che era felice nello scoprirle, come quel risotto. Un padre che cercava la libertà,

la possibilità di muoversi nel mondo senza costrizio-
ni, e l'avrebbe voluta anche per sua figlia».

Resta il problema più grande, quell'amicizia tra
Carlo e Fioroni: «Non so come si fossero conosciuti,
non ne parlava, e Carlo era uno che aveva una possibilità di silenzio infinita. Dal mondo di casa sua al contatto con questi estremisti il salto era immenso, anche
se non so se avesse le categorie per comprendere davvero. Io non potevo pretendere che non li frequentas-
se, potevo solo metterlo in guardia e l'ho sempre fatto. Fino all'ultimo».

La paura dei virus

La mamma di Carlo, Angela Boselli, era nata a Belfuggito, in mezzo alla campagna tra Pavia e Lodi, nel 1911. Il padre prese in casa una balia che veniva da Fano e si chiamava Dina, ma quando la donna si presentò non venne riconosciuta perché era quasi calva e fu accolta con sospetto. Solo tempo dopo spiegò che aveva lavorato in una cava dove doveva trasportare le pietre tenendole sulla testa. Crescerà Angela con molta cura e manterranno rapporti epistolari per tutta la vita.

La prima immagine che abbiamo di lei è una foto di quando aveva 2 anni. Il papà la portò a Milano in via Brera, dove aveva lo studio Attilio Badodi, una celebrità dell'epoca, specializzato in ritratti di artisti del mondo del teatro, fotografo ufficiale nel 1930 del matrimonio tra Galeazzo Ciano e Edda Mussolini. Badodi mise la piccola Angela in piedi su una poltroncina e lei nello scatto ha uno sguardo sicuro e penetrante e un vestitino bianco ricamato uguale a quello del suo bambolotto. La foto venne stampata e usata come cartolina postale da spedire agli amici e ai parenti.

Quando Angela ha 8 anni, siamo nel 1919 e il padre è appena tornato dal fronte della Grande Guerra, la mamma – che aspettava il quarto figlio – muore per l'influenza «spagnola». Uno choc che segnerà per sempre la sua vita, lasciando una traccia profonda. La paura del virus, l'incubo della pandemia, l'idea che l'unica salvezza fosse l'isolamento spingeranno il papà a non mandare a scuola i figli e a diventare il maestro dei suoi bambini, a cui faceva regolari lezioni ogni giorno. Si ingegnò per crescerli coltivando lo sport, costruì una strana barchetta con cui li portava a navigare nelle rogge e degli sci artigianali con cui li faceva scivolare sulla neve trascinati da una cavalla.

Arrivò il fascismo e ad Angela apparve come un'inattesa possibilità di vita sociale, partecipava a tutti i raduni delle Giovani Italiane, seguì un corso da crocerossina e cominciò a fare la volontaria negli ambulatori per la madre e il bambino. Venne mandata a Milano per frequentare le scuole superiori al Collegio delle Fanciulle, di quegli anni e dell'impatto con la città ricordava le carrozze, i Navigli ancora scoperti e le passeggiate a cavallo del vecchio conte Giuseppe Bagatti Valsecchi, amante del bello e della storia, straordinario collezionista di antichità e pioniere delle corse in bicicletta negli anni Settanta dell'Ottocento.

Dopo gli studi torna in campagna e si occupa del padre, rassegnata a restare signorina. Poi, evento inatteso, si presenta alla sua porta un altro scapolo, un industriale chimico di 53 anni che vantava una lontana parentela: cugino di non si capisce quale grado. Quest'uomo, che si chiamava Piero Saronio ed era titolare dell'Industria Chimica di Melegnano, aveva deciso che era tempo di farsi una famiglia e di avere dei figli. Colpito dalla bella cugina ventottenne e avendo modi spicci e decisi, andò dal padre di Angela per chiederla in sposa, spiegò che alla sua età sarebbe stato ridicolo un fidanzamento e passò direttamente all'anello. Due mesi dopo, il 16 novembre 1939, si sposarono nella chiesa di San Babila. Nella foto che li ritrae all'uscita dalla celebrazione hanno dei sorrisi accennati; lui, per mostrare che è un uomo che non perde tempo con le convenzioni, è arrivato a piedi con il cappotto marrone e le scarpe gialle. Non sappiamo se lei avesse scelto un vestito bianco perché è chiusa in un lungo cappotto scuro bordato di pelliccia. Tutto risente del clima del momento: da 77 giorni è cominciata la seconda guerra mondiale.

Vanno ad abitare in corso Venezia 30: il palazzo era stato acquistato da Luisa, la sorella di Piero che aveva fatto fortuna a Milano come modista. Mandata dalla campagna a lavorare come sartina, si era affermata nel laboratorio dove era impiegata fino a diventarne proprietaria e a dar vita al suo marchio: Atelier Luisa

Saronni. Ogni anno andava a Parigi a ispirarsi e portava a Milano le novità della moda francese. Ottenne grande successo e ricchezza fino all'autarchia e all'entrata nel conflitto. Chiuderà tutto e cederà le sue proprietà al fratello, che al contrario fece fortuna all'ombra del fascismo e delle sue guerre.

Alla fine del 1940 Angela mette al mondo la prima figlia, Piera, poi nel 1942 arriva Maria. Il padre fa venire le balie da un paese nell'Appennino reggiano, e quando nel 1949 nascerà Carlo, il figlio maschio, ne chiamerà addirittura due per evitare che il neonato potesse restare senza latte. La famiglia passò la guerra a Carate Urio, nella casa sul lago di Como, pronta a sfruttare una baita appositamente comprata lungo il confine per passare in Svizzera in caso di pericolo.

Quando i bambini entrarono in età scolare, il padre decise – come racconta la figlia Piera – che dovessero «essere protetti dai dannosi influssi esterni, sia dei microbi che delle malattie morali» e per questo fece allestire in casa una scuola con professoresse di tutte le materie e insegnanti di musica, ginnastica, scherma e ballo. Solo per l'equitazione, il tennis, lo sci e la vela si dovette necessariamente ricorrere a spazi esterni. Anche Angela era figlia della paura del virus, però non aveva dimenticato il suo spaesamento di bambina e si rese conto presto che i figli erano troppo isolati, ma riuscì a convincere il padre a lasciare che frequentassero la scuola pubblica solo al liceo.

Nonostante fosse una persona timida e riservata, la signora Angela dopo la guerra si mise a studiare l'inglese per poter ricevere gli ospiti del marito: i suoi nuovi clienti, americani, indiani, israeliani e russi. Per loro organizzava grandi cene in corso Venezia. Facevano vita mondana, avevano un palco alla Scala, ma le sue due grandi passioni erano solitarie: suonare il piano e occuparsi dei suoi giardini.

Quando restò vedova, nel dicembre 1968, si dedicò alla beneficenza, cosa che il marito le aveva espressamente impedito ritenendola una distrazione dai doveri familiari. Sostenne le famiglie bisognose con la Società di San Vincenzo, prese ad assistere i malati alla Lega contro i Tumori e finanziò una serie di opere missionarie tra cui un ospedale in Brasile.

Cominciò anche a viaggiare. Tra le sue carte ho trovato un minuscolo quadernetto marrone con una intestazione dorata sulla copertina: «Note». È un diario scritto con calligrafia elegante e molto ordinata. Racconta di un viaggio in Grecia fatto con Carlo e la cognata Piera a Pasqua del 1973. Partono in nave da Genova, la madre annota «voli di gabbiani, mare splendido, Stromboli e Strombolicchio, e verso le 9 di sera lo spettacolo di Messina e Reggio illuminate». Madre e figlio fanno il giro di tutta la Grecia classica: lei descrive continuamente natura e rovine archeologiche, ma è la varietà di alberi e fiori a incantarla. È delusa da Sparta, ma il teatro di Epidauro vince la sua classifica del bello.

Si fanno una foto davanti alle rovine, sorridono, hanno gli occhiali da sole, Carlo tiene le mani in tasca e la madre ha un foulard in testa. Il 1° maggio arrivano ad Atene: «C.» – la madre nel diario chiamerà sempre il figlio solo con l'iniziale – «sale a vedere l'Acropoli e poi andiamo all'aeroporto. Partenza di C. per Milano e nostra per Creta». Il minuscolo diario si ferma il 12 aprile a Delfi: «posto di sogno».

Tre pagine bianche e siamo al 18 ottobre 1973: «Partenza con C. per Londra (ritardo di due ore) perso l'aereo e le valigie, tre...». Lo sta accompagnando in America. Carlo ci resterà un anno, nell'esperienza più bella della sua vita. Lei tornerà a trovarlo nel febbraio dell'anno dopo.

L'America

C'è un ricordo a cui Marta tiene più di ogni altro, la coperta di Linus che rassicura e protegge. Un racconto che le dice che è figlia dell'amore e che non è arrivata per caso: «Mia madre scappò di casa, scappò dai suoi genitori per andare a trovare il papà in America, fu molto coraggiosa e questa, quando ero piccola, era la mia favola della buonanotte preferita, me la facevo sempre raccontare». Non ci sono principi e principesse, ma un ragazzo che dopo mille telefonate manda i soldi per un biglietto aereo e una ragazza che una mattina fugge con una valigia di libri.

Carlo arriva a Filadelfia il 18 ottobre, ha una borsa di studio per fare un anno di ricerca all'Università della Pennsylvania. Nonostante abbiano perso le valigie, la madre annota nel suo piccolo taccuino: «Splendido il viaggio con il sole sopra le nubi e la vista della costa nord. Il golfo e la città ci sono apparsi in una fantasmagoria di luci colorate. Il signor Hess [*un ami-co di famiglia*] ci ha guidati felicemente attraverso la città fino al Bellevue-Stratford Hotel in Broad Street». In attesa di trovare un appartamento per Carlo, alloggiano nel grande albergo storico di Filadelfia: costruito nel 1904 in stile francese, aveva diciannove piani ed era il centro della cultura e degli affari, e il ritrovo della buona società cittadina. Dieci anni prima, il 30 ottobre 1963, il Bellevue-Stratford era stato il punto di arrivo del primo esperimento del presidente Kennedy di un corteo con un'auto scoperta lungo le strade della città. Il successo di folla spingerà a ripetere l'esperienza tre settimane dopo a Dallas, in Texas, con l'esito drammatico che tutti conosciamo.

Carlo e la madre non possono immaginare che l'albergo che li ospita, e in cui hanno fatto una gran fatica per trovare due camere libere, ha i giorni contati e che meno di tre anni dopo chiuderà i battenti abbandonato da tutti i clienti. Il Bellevue-Stratford, infatti, diventerà famoso nel mondo nel luglio 1976 quando un batterio, fino ad allora sconosciuto, si diffonderà in tutte le stanze attraverso il sistema dell'aria condizionata uccidendo 34 persone e mandandone in ospedale altre 187. I morti sono tutti partecipanti al congresso dell'American Legion, associazione di veterani di guerra, e così il batterio della nuova «malattia del legionario» verrà chiamato «legionella» e in quelle stanze non ci vorrà più mettere piede nessuno.

Dopo una settimana, trovano un piccolo appartamento in affitto al diciassettesimo piano di un gratta-
cielo in Rittenhouse Square. Ha una vista magnifica
sugli alberi del parco che occupa il centro della piazza, la più bella della città, ancora oggi l'indirizzo più
prestigioso d'America.

Prima che Carlo cominci a lavorare all'università, con
la madre salgono i settantadue gradini della scalinata
del Museum of Art, resa famosa dalla corsa di Rocky,
il pugile che verrà interpretato da Sylvester Stallone
poco tempo dopo. Loro si innamorano dei Botticelli in
esposizione all'interno. La madre sarà talmente entu-
siasta da tornarci altre due volte.

La domenica vengono invitati a pranzo nella casetta in stile inglese del professor Britton Chance, con
il quale Carlo andrà a lavorare. Luminare della dia-
gnostica, pioniere della ricerca sugli enzimi, era stato anche campione olimpico di vela, vincendo l'oro a
Helsinki nel 1952. Tra i due scatterà una grande inte-
sa, non solo in laboratorio, tanto che il professore ogni
domenica mattina lo porterà in barca sull'Atlantico.
Chance, che aveva una laurea e un dottorato in Chimica e Fisica e un secondo dottorato in Fisiologia, ispi-
rerà Carlo e lo convincerà a iscriversi a Medicina per
prendere la seconda laurea. Il professore, che è scomparso nel 2010 a 97 anni lasciando undici figli, quando seppe della morte di Carlo scrisse una bellissima
lettera alla madre.

Silvia, che era rimasta a Milano, gli scriveva una lettera tutti i giorni, la spediva la mattina andando in università, Carlo invece non scriveva quasi mai, preferiva telefonare. Lei andò a trovarlo tre volte, la prima con la benedizione dei suoi genitori: «Erano molto freddi all'idea che io volassi in America, così per superare l'ostacolo si decise che potevo andare ma insieme alla signora Angela, durante le feste di Natale. Comprammo i biglietti ma all'ultimo momento lei decise di non venire, forse lo fece per lasciarci tranquilli, i miei invece si irrigidirono ma ormai era tutto organizzato e mi lasciarono partire».

Carlo, quella prima volta, la andò a prendere all'aeroporto, Silvia parlava pochissimo l'inglese e non sapeva come muoversi, poi nel giro di un anno si organizzò e alla terza visita dava lezioni di italiano agli studenti. «Lui era un lavoratore indefesso, stava tutto il giorno all'università, io andavo a scoprire la città e facevo la spesa al mercato del quartiere italiano dove trovavo l'unico caffè decente. Prendevo i pomodori, la mozzarella, la sera gli preparavo la cena, quasi sempre la pasta, mangiavamo insieme poi lui tornava in laboratorio. Il professor Chance era un genio, per lui esisteva solo la ricerca, una volta ci invitò a cena a casa sua e poi, appena finito, si alzò e disse a Carlo: "Bene, torniamo in laboratorio". Un'altra volta, era domenica mattina, ci invitò ad andare con lui in barca a vela sull'oceano, una gita bellissima, ma, appena mettem-

mo piede a terra, mi accompagnarono a casa per andare di nuovo in laboratorio la domenica pomeriggio. Stavo molto sola, ma ero felice, mi sentivo libera.
Ricordo un giorno che sono andata a New York con
il treno, visitai il MoMA e il Metropolitan, faceva un
freddo pazzesco ma avverto ancora la sensazione che
provai camminando sulla Quinta Strada: mi sentivo
padrona del mondo.»

Al rientro a Milano l'argomento Filadelfia nella famiglia di Silvia fu considerato un capitolo chiuso, perfino parlarne era tabù: «Mio padre non ne voleva sapere, una volta a cena presi tutto il coraggio che avevo e
provai ad azzardare che sarei potuta andare a trovarlo per Pasqua, ma i miei furono irremovibili, ricordo
ancora le parole: "No, non parti, non se ne parla nemmeno". Quella sera decisi che sarei andata comunque,
che sarei scappata». Si ferma, come imbarazzata, torna
nel presente e mi dice: «Ma mica scriverai tutte queste cose!». Le rispondo che sapevo già della sua fuga
d'amore, che me l'ha raccontata Marta, che la considera una cosa estremamente preziosa. Mentre Silvia
sta in silenzio sento in testa le parole di Marta: «Lui
promette ai genitori della mamma che sarebbe tornato e l'avrebbe sposata… a me questa cosa della fuga
mi fa felice…».

Carlo le mandò i soldi per il volo, aveva fatto un piccolo pacchetto con i dollari e l'aveva dato a un ricerca-

tore che era stato in visita nel suo laboratorio e tornava in Italia, un collega di Roberto, il fratello di Silvia,
all'Istituto Mario Negri. «Non avevano idea di cosa ci
fosse in quella busta un po' rigonfia, pensavano a una
spessa lettera d'amore, e io non dissi niente a mio fratello perché non volevo metterlo nei guai con i miei genitori. Andai in banca a cambiare i dollari. Sono passati quarantasei anni ma ricordo come fosse adesso il
cassiere che mi disse: "Lei è fortunata perché oggi il
cambio è davvero buono".»

Andò all'Alitalia e comprò un biglietto per il volo
diretto da Milano a Filadelfia, le dissero che avrebbero chiamato due settimane prima per la conferma, lei
si segnò la data e calcolò quando avrebbe dovuto restare a casa per rispondere al telefono. Invece chiama-
rono prima.

«Un giorno arrivo a casa dall'università e mia madre dice: "Ha chiamato l'Alitalia, chiedevano di te, ho
spiegato che ero la madre e che potevano parlare con
me. Volevano conferma del volo per Filadelfia". Sono
diventata di tutti i colori, sentivo la faccia in fiamme e
non sapevo dove guardare, ma lei senza fare una pie-
ga ha continuato: "Gli ho risposto che non mi risultava
nessun volo e alla loro insistenza ho replicato che sa-
prò bene se mia figlia minorenne" – allora la maggiore
età era 21 anni, scese a 18 l'anno dopo – "deve partire
per l'America. A quel punto mi hanno detto: Cancelliamo? Certo, cancelliamo!". Mi sono sentita svenire e

con un filo di voce ho aggiunto: "Mamma, sarà stato uno scherzo telefonico delle mie amiche". Non ne abbiamo più parlato e io non ho fatto nessuna domanda.»

Il giorno dopo Silvia tornò all'Alitalia ma il volo era completo, non c'erano più posti per Filadelfia, trovò solo un biglietto per New York. Il viaggio si allungava molto e diventava più complicato, specie per una ragazza che conosceva ben poco l'inglese. Lui, murato nel laboratorio, non sarebbe nemmeno andato a prenderla, così, con una valigia piena di libri, prese l'autobus per Manhattan, poi un treno a Penn Station, infine un taxi per raggiungere Rittenhouse Square.

«Quella mattina finsi di uscire per andare all'università, presi pochi vestiti, due mutande, un paio di jeans e uno di scarpe e li infilai in fretta in una piccola borsa. Ero agitatissima, non avevo dormito e per l'ansia lasciai aperte le ante dell'armadio e i cassetti, presi la porta gridando a mio fratello: "Ciao, sono in ritardo, avvisa la mamma che oggi non torno a pranzo".

«Ma non volevo far preoccupare troppo i miei genitori, per cui avevo scritto una lettera in cui spiegavo tutto e l'avevo data alla mia amica Gabriella, chiedendole di andare a metterla nella buca non appena io fossi decollata. Non la potevo lasciare in casa perché se l'avessero letta prima sarebbero corsi all'aeroporto a bloccarmi. Nei giorni precedenti avevo dato tutti i miei libri dell'università a Gabriella, che mi aveva prestato una sua valigia, li ricordo ancora perché dovevo dare i primi due esami: storia medievale e storia moderna. Mia madre non ebbe nemmeno bisogno di ricevere la lettera, appena entrò in camera mia e vide l'armadio aperto si mise a ispezionare, aveva un controllo maniacale della casa e non le sfuggiva nulla, poi le tornò in mente quella telefonata dell'Alitalia, così andò dritta da mio fratello: "Mancano delle scarpe e dei vestiti e la borsa piccola, tu sai qualcosa di tua sorella?". Lui rispose che non sapeva nulla, poverino. Si misero a cercare Gabriella e la trovarono di ritorno dall'aeroporto, erano infuriati, lei confessò subito ma ormai io ero già in volo. Mia madre ha odiato Gabriella per anni, la considerava complice e colpevole. Ho chiamato casa appena sono arrivata a Filadelfia. Ha risposto mia madre, che ha detto soltanto: "Chi ti credi di essere? Adesso ti passo tuo padre". Sono rimasta quarantacinque giorni e poi sono dovuta tornare e rivedere i miei genitori...»

Dopo l'estate andò a trovarlo la terza volta: «Con molta faccia tosta chiesi il permesso; mio padre, senza nemmeno alzare la testa, disse: "Tanto ci vai lo stesso..."».

Acqua scura

Ora, per capire, bisognerebbe immergersi in un'acqua scura dove riuscire a dare un nome preciso alle cose è impresa impossibile. Ricostruire nei dettagli quel che è successo negli anni Settanta è un'illusione.

Quanta gente che è ancora viva potrebbe parlare, quanta gente sa, ha visto, sentito, vissuto. Oggi hanno i capelli bianchi, figli di 40 o 50 anni, e nipoti. Ogni volta che torno a frequentare quel tempo faccio due conti e scopro che sono dei nonni, scopro che alcuni se ne sono andati, altri sono malati. Dentro di loro c'è ancora, forse lontano o magari vicinissimo e presente, quel ragazzo che sognava la rivoluzione, quello che aveva preso il gusto della violenza, quello che ha fatto cose di cui non ha voluto mai vergognarsi oppure che ha rimosso per non farci i conti.

Nessuno parla, se non quelli che lo fanno per professione, che hanno una loro tesi e una loro agenda da mezzo secolo e appena possono si affacciano sulla scena per gridare la loro verità, che troppo spesso è inquinata e serve a sentirsi ancora vivi e ancora nel giusto.

Carole Beebe si sveglia spesso la notte e si chiede come sia possibile che nessuno abbia mai fatto il nome di uno dei due killer brigatisti che spararono a suo marito, l'economista Ezio Tarantelli, il 27 marzo 1985 all'Università La Sapienza. Eppure non si trattava di cani sciolti, tanti sanno, hanno procurato le armi, i covi, fatto da pali e vedette, pedinato, discusso, preparato volantini e rivendicazioni... eppure nessuno in trentacinque anni ha detto una parola.

Difendono le loro vite, che sono molto più lunghe e complesse di quel tempo. Per un decennio di militanza, magari solo per uno spicchio di quello, ne sono seguiti quattro di un'altra vita, lavori, famiglie, carriere. Vacanze, nuovi amici, colleghi e soprattutto figli, che difficilmente capirebbero.

Così stanno in silenzio o parlano tra loro. Spesso a tenerli fermi, a spingerli al silenzio, è un senso di amicizia, di appartenenza, l'idea che parlare significherebbe tradire gli amici antichi e soprattutto i propri 20 anni.

Faccio gli stessi pensieri con i depistaggi di Stato, le complicità con le bombe e le stragi, le verità nascoste e indicibili che funzionari infedeli, uomini con un'idea malata delle istituzioni, si sono portati nella tomba.

Dobbiamo arrenderci a non avere verità? No. La verità storica sulle stragi e sul terrorismo è acquisita, chiara. Conosciamo matrici, mandanti, organizzazio-

ni, esiste la mappa precisa delle responsabilità del terrorismo di sinistra e di destra e delle stragi.

Quella storia è come un mosaico antico: per leggere le figure, i colori, le linee bisogna allontanarsi e te-
nersi a distanza. Così se ne coglie l'insieme, la visione
è completa. Se invece ci si avvicina si vedono i buchi,
le tesserine mancanti, quelle sbreccate o scolorite e si
ha la sensazione che il mosaico non esista più, sia solo
un caos senza senso. Ma basta fare due passi indietro e
l'immagine torna a parlarci e a raccontare la sua storia.

Quando mi sono messo a leggere gli atti del processo di Carlo ho provato una vertigine, un senso di nau-
sea e di smarrimento. Una notte ho letto un libro, di cui
non condivido titolo e tesi di fondo, ma che dal punto di vista della cronaca di quel tempo è un gran lavoro, ricostruisce il rapimento di Carlo e i processi, lo ha
scritto Antonella Beccaria e si intitola *Pentiti di niente*.

Mi è servito a capire una volta di più come ricostruire ogni responsabilità e l'esatta genesi di atti terroristici sia impossibile, e mi è servito a capire che cosa
non volevo fare.

Volevo dare una risposta alla domanda di Marta, che
desidera sapere chi fosse suo padre. Non dare un nome
a ogni persona che tramò per rapirlo, che fu complice
o più semplicemente lasciò fare.

Ho avuto chiaro una volta in più che entrare e cercare di spiegare un tempo caotico e indefinibile è un'il-

lusione pericolosa. Ci si perdono gli occhi, il sonno e la direzione.

Ho cercato testimonianze dirette in quel mondo, incontrando silenzi gelidi e imbarazzati, allora mi sono procurato tutti gli atti ufficiali possibili: processi, indagini, documenti di polizia, atti d'inchiesta parlamentari, e ho messo in fila ciò che mi sembrava utile e illuminante. Poi ho deciso di cancellare da queste pagine tutti i nomi che non fossero fondamentali per capire la storia di Carlo Saronio. La giustizia, per quanto imperfetta, ha provato ad attribuire responsabilità e pene, ora, quarantacinque anni dopo, restano uomini e donne, spesso alla deriva, che non ha più senso strappare dal loro oblio.

In questa ricerca ho incontrato il figlio di Gabriella, la ragazza che aveva aiutato Silvia a fare la valigia per scappare in America e che oggi è ancora la sua migliore amica. Fa il regista e da dieci anni raccoglie materiale per un documentario che racconti gli aspetti oscuri di questo episodio di terrorismo. Ascolta questa storia fin da quando è bambino e a un certo punto ha cominciato a fare domande. Si chiama Marco Cacioppo e ha le idee abbastanza chiare su Carlo e i suoi compagni di sventura, non si è mai accontentato delle risposte e negli anni gli è apparso «uno scenario molto più complesso e stratificato di quello che appariva». Ha incontrato i magistrati che si occuparono del caso e anche quelli che indagarono su Toni Negri e Autonomia Operaia: «Mi sono fatto l'idea che Carlo avesse una sorta di doppia identità, da un lato era attratto dalle azioni e dall'ideologia dei gruppi extraparlamentari, dava soldi, metteva a disposizione le case di famiglia per gli incontri e come possibile rifugio, in modo provocatorio e iconoclasta, ma poi aveva paura di spingersi oltre. Era frenato dall'altro Carlo, quello che faceva ricerca quattordici ore al giorno, che voleva prendere la seconda laurea e che sognava di sposarsi e avere figli».

Questa doppia identità a me sembra si sia infranta durante l'anno americano, che può essere visto come una cesura, ma Marco non è d'accordo: «Cerca nelle carte e troverai che non solo dopo il ritorno da Filadelfia Carlo ha continuato a far parte della struttura occulta e ha nascosto nuovamente Fioroni in casa sua, ma anche che era partito per l'America con una lista di contatti che gli venne fornita da Toni Negri, persone con cui tenere rapporti».

Riesco a trovare un nome, un professore che ha insegnato tutta la vita in un'università di New York, scopro di conoscere una sua cara amica, lei lo avvisa che lo sto cercando, così gli scrivo. Gentilmente mi risponde che non ricorda di aver mai incontrato Carlo: «È vero che in quei tempi lontani passavano da New York molti "amici di amici" e "compagni" italiani, quindi è possibile che lo abbia incontrato, ma non ricordo se o quando. Se lo avessi conosciuto, quando anni dopo ho letto sul giornale la sua terribile storia, me ne sarei ricordato e avrei fatto il collegamento. Forse vedendo una fotografia potrei ricordare qualcosa, ma sicuramente non sarei in grado, anche in quel caso, di raccontare che persona era».

Il traditore

Il 10 febbraio 1963 il segretario del Pci Palmiro Togliatti è al Teatro Smeraldo a Milano per tenere un comizio, ha appena preso la parola quando un ragazzo, nemmeno ventenne, si alza in piedi e comincia a lanciare dei fogli sulla platea. Prima che riescano a fermarlo riesce a diffonderne parecchi, su quei volantini è stampato l'intervento del delegato cinese al congresso del Partito socialista tedesco.

Il ragazzo viene identificato dai poliziotti presenti: si chiama Carlo Fioroni, è nato a Cittiglio, in provincia di Varese, il 18 giugno 1943 e abita a Milano in via Lazzaro Palazzi, poco lontano da Porta Venezia, con i genitori Aurelio e Angela, un fratello e una sorella.

L'appunto, un foglietto giallo delle dimensioni di una cartolina, arriva all'ufficio politico della Questura. Due settimane dopo si aggiunge una piccola informativa in cui si segnala che è iscritto alla Fgci, l'organizzazione giovanile del Partito comunista, e che ha studiato al liceo classico Cesare Beccaria. Solo successivamente emergerà che era appena stato cacciato dalla Fgci per «deviazionismo ideologico». Fioroni era colpevole di aver aderito al nascente movimento filocinese, quello di chi accusava Togliatti di stare con l'Urss di Chruščëv, traditore della Rivoluzione di Lenin e Stalin, e indicava invece come modello la Cina di Mao.

Il 2 marzo il questore di Milano scrive a quello di Varese pregandolo di «assumere – in via del tutto riservata – e riferire dettagliate informazioni sui precedenti morali e politici della persona in oggetto». Non arriverà nulla degno di nota. Il tutto finirà in una cartellina intestata a Fioroni Carlo di Aurelio, che resterà vuota fino al 1968, quando sarà segnalato come responsabile milanese del giornale «Classe operaia», come iscritto al Partito socialista italiano di unità proletaria (Psiup) e verrà annotato che si è sposato con una ragazza di un anno più giovane di lui, iscritta allo stesso partito.

Da quel momento la cartellina gialla comincerà a riempirsi, mese dopo mese, per un decennio, diventando un immenso faldone oggi conservato negli archivi della Questura di Milano in via Fatebenefratelli. Tra i documenti si trova la sua prima carta d'identità, rilasciata solo due mesi prima dell'azione di protesta contro Togliatti. Nella foto ha la faccia di un ragazzino alla moda, con i capelli impomatati, gli occhiali con la montatura spessa, la camicia bianca e una sottile cravatta nera. Ha gli occhi azzurri ed è alto un metro e sessantotto. Studia Lettere alla Statale, dove prenderà la laurea per poi diventare insegnante a Cabiate, a metà strada tra Monza e Como, e poi alla scuola media di Settala, paese in provincia di Milano poco lontano dall'aeroporto di Linate. Tanto basterà ad attribuirgli il soprannome di «Professorino» con cui verrà chiamato dai giornali per anni.

Sfogliare il faldone significa percorrere una carriera che dalla protesta porterà ai nascenti movimenti terroristici, fino alla violenza criminale, in un crescendo fatto di militanza, fughe all'estero, latitanza, doppi giochi e incontri segreti.

Nel giugno 1968 partecipa al convegno nazionale studenti-operai di Venezia, un anno dopo prende parte alla rivolta di corso Traiano a Torino, dove studenti e operai riuniti fuori dai cancelli della Fiat a Mirafiori si scontrano per una giornata intera con la polizia. Verrà denunciato dai carabinieri per resistenza e lesioni a pubblico ufficiale. La Questura di Torino chiede notizie di lui ai colleghi milanesi, che rispondono definendolo «un elemento alquanto fanatico e fazioso» che «partecipa a tutte le manifestazioni dei movimenti estremisti della dissidenza».

Dopo gli scontri alla Fiat torna a Torino alla fine di luglio per il convegno delle avanguardie operaie che darà vita al percorso sia di Lotta Continua sia di Potere Operaio. Fioroni, indicato come redattore del settimanale «La Classe», rivista che ebbe un ruolo di primo piano nel coordinare scioperi e proteste nella fabbrica e nell'organizzare il convegno, segue i suoi compagni dentro Potere Operaio, l'organizzazione guidata da Toni Negri di cui si vanta di essere amico fidato.

Una sera di fine marzo 1970 è alla stazione Centrale di Milano, «sorpreso» a distribuire il periodico «Potere Operaio» agli emigranti che tornavano a casa per le vacanze pasquali con il treno notturno per Lecce. Gli fanno una contravvenzione.

Alla fine dell'estate partecipa, sempre a Milano, a una riunione con i vertici di Potere Operaio, ci sono Toni Negri, Oreste Scalzone e Franco Piperno. Viene segnalato a manifestazioni, convegni, riunioni, volantinaggi, tanto che nel 1971 in un documento del Viminale si legge: «Noto a codesto onorevole ministero».

Da quel momento diventa l'uomo della 500 rossa, la sua utilitaria targata Milano è segnalata in continuazione e ovunque: al Teatro Lirico dove si manifesta per l'innocenza dell'anarchico Pietro Valpreda, allora in carcere con l'accusa – da cui fu poi assolto – di aver portato la bomba che fece strage il 12 dicembre 1969 alla Banca dell'Agricoltura in piazza Fontana; alla facoltà di Architettura per un'assemblea di Lotta Continua; a seminari politici e manifestazioni. Dove c'è la 500 c'è lui, non lo identificano nemmeno più.

Il 28 febbraio 1972, due settimane prima della morte

di Giangiacomo Feltrinelli, a cui si è avvicinato e con cui collabora, la polizia, sospettando un rapporto con le Brigate Rosse, fa una perquisizione a casa dei suoi genitori alla ricerca di armi. Troveranno soltanto una fondina, il caricatore vuoto di una pistola e un documento falso. Pochi giorni dopo a Quarto Oggiaro viene fermato un gruppo di ragazzi che mettono nelle cassette della posta delle case popolari volantini di Potere Operaio, l'auto su cui viaggiano è sempre la 500. Nel frattempo, Fioroni affitta un appartamento in via Legnano che la polizia sostiene sia la base in cui gruppi di extraparlamentari preparano le bottiglie molotov con cui vengono scatenati disordini di piazza.

Poi c'è il salto di qualità. Il giorno dopo l'incidente in cui perse la vita Feltrinelli, viene interrogato da un magistrato, che vuole capire come mai l'assicurazione del pulmino Volkswagen trovato sotto il traliccio su cui è morto l'editore sia stata stipulata da lui a nome di una persona ignara della cosa. Fioroni finge di scoprire l'identità di Feltrinelli solo in quel momento, spiega che pensava di fare un favore a un amico, che non sapeva nulla dell'attentato e non viene trattenuto. Poche ore dopo si scoprirà che ha assicurato anche una Fiat 124 beige trovata ad Abbiategrasso vicino a un traliccio dell'alta tensione sotto cui erano state piazzate altre cariche esplosive. A quel punto la sua posizione si complica e per la polizia sarebbe cruciale sentirlo, ma ormai si è dileguato: è nascosto al sicuro, al secondo piano della casa in corso Venezia di Carlo Saronio, con l'aiuto del quale passerà in Svizzera. A quel punto è il capo della polizia Angelo Vicari a firmare un mandato di cattura internazionale.

La Questura nel frattempo continua ad aggiornare il suo fascicolo, annota che si è separato e che prima della latitanza era passato a insegnare Lettere in un istituto di Desio. Il nome di Saronio però non appare mai legato a lui, nessuno sospetta della loro amicizia e del loro legame.

A novembre, in cambio della revoca del mandato di cattura, rientra in Italia e si presenta dal magistrato accompagnato dall'avvocato torinese Bianca Guidetti Serra. Torna a muoversi liberamente ma gli viene ritirato il passaporto.

Nel settembre 1973 da Milano chiedono alla Questura di Torino di vigilare su Fioroni, che alloggerebbe presso «tale Guidetti Serra». La risposta è secca, quasi infastidita: «Non ha mai soggiornato qui, ma si è solo recato nello studio del suo difensore, che è Bianca Guidetti Serra», la penalista più famosa di Torino, già partigiana, amica fin dai tempi della scuola di Primo Levi e paladina dei diritti dei minori e dei carcerati. Lo trovano allora a Milano in via Spontini, vicino alla stazione, e annotano che si mantiene facendo il traduttore per la Longanesi.

All'inizio del dicembre 1974 torna a nascondersi per una settimana a casa Saronio, questa volta

non più all'insaputa della madre ma presentato da
Carlo con il falso nome di Bruno, professore romano amico di vecchia data. Rimane con loro il giorno
di Sant'Ambrogio, poi diventa una presenza ingombrante per le feste familiari così Saronio, all'Imma-
colata, lo porta a dormire a Quarto Oggiaro da don
Beltramini e il 12 dicembre lo accompagna al sicuro in Svizzera insieme alla sua ragazza. Alla frontie-
ra di Chiasso, Fioroni scende dall'auto e attraversa
il confine a piedi insieme a un gruppo di frontalieri.
Carlo andrà a trovarlo nelle vacanze di Natale e tornerà a prenderlo a febbraio.

Ma perché, se nessuno lo stava cercando, già alla
fine di novembre Fioroni aveva deciso di sparire dalla
circolazione? Perché se l'aspettava. All'inizio di quel
mese, infatti, seguendo la traccia casuale di un furto
d'auto, vengono perquisiti e arrestati due suoi amici, un ragazzo e una ragazza, i cui nomi ricorreranno
nelle cronache dei processi per terrorismo degli anni
Settanta. Nelle loro case vengono trovati una pistola e numerosi volantini e documenti di propaganda
politica simili a quelli rinvenuti in alcuni covi delle
Brigate Rosse. Le carte sono di Fioroni, che sei mesi
prima ha chiesto ai due di custodirgliele. Temendo
che parlino, entra in clandestinità. L'intuizione non
è infondata, a fine novembre, diciassette giorni dopo
l'arresto, l'amico rivela di chi sono i documenti e tutto l'incartamento passa a un giovane giudice istrut-

tore di Torino che sta indagando sulle Brigate Rosse: Giancarlo Caselli. Il magistrato chiede subito di convocare Fioroni per un confronto con l'amico, però nessuno riesce a trovarlo, così a Natale Caselli firma un mandato di cattura, accusandolo di partecipazione a banda armata, ma quell'arresto non verrà mai eseguito. Grazie a Carlo.

Carlo Saronio, che è tornato soltanto da due mesi da Filadelfia, non può immaginare che aver difeso e nascosto nuovamente l'amico gli costerà la vita.

Dalla latitanza in Svizzera, Fioroni torna a fine febbraio 1975 e il suo porto sicuro è ancora, per tre giorni, la casa di corso Venezia. Questa volta non chiede ospitalità da solo, ha una nuova compagna, che il professore presenta alla signora Saronio come sua moglie. A loro, Carlo cede addirittura la sua camera e il suo letto. Poi vanno in Liguria, a Bogliasco, in quattro: Carlo porta anche Silvia. Sarà il loro ultimo fine settimana in quel mare dove avevano fatto il primo bagno insieme tra le onde.

Fioroni è ricercato, non può tornare a insegnare, non ha reddito e dice di essere depresso dopo la latitanza. Carlo gli fa avere mezzo milione di lire, il corrispettivo di tre stipendi di un operaio, per poter vivere in clandestinità, e gli spiega, ancora una volta, che non ha la disponibilità dei beni di famiglia perché il ragionier Damaschi vigila su tutto. Armando Damaschi è l'amministratore chiamato a gestire, dopo la morte del padre, le finanze dei Saronio, ha il suo ufficio al pianoterra in corso Venezia e controlla le spese di Carlo. Quando deve partire per un viaggio o una vacanza, gli consegna una busta con i contanti necessari e non gli sfugge niente. Tanto che per far avere quel mezzo milione a Fioroni, Carlo finge una donazione alla parrocchia di don Beltramini a Quarto Oggiaro; ne parla con la madre, si fa fare l'assegno da Damaschi e lo porta al sacerdote, che si presta a cambiarglielo e a girare il contante all'amico. Don Beltramini si fidava di Carlo, gli voleva bene e non faceva domande. Era il parroco della chiesa della Resurrezione, aperta nel 1967 in mezzo alla schiera di palazzoni popolari, un punto di riferimento per tutti i bisogni del quartiere. Con lui Carlo era arrivato a Quarto Oggiaro, per fare il doposcuola in parrocchia per i bambini di un gruppo di famiglie emigrate dalla Puglia.

A questo punto affiora una suggestione, che emergerà come ipotesi nelle indagini, che si affaccerà in alcune testimonianze nei processi e che molti ancora oggi ritengono verosimile: che Fioroni in quel fine settimana in Liguria abbia proposto a Carlo di inscenare un suo finto sequestro per attingere dalle casse familiari. Carlo avrebbe detto di no, che non ci pensava nemmeno lontanamente, che non era disponibile a prestarsi. La cosa non è così inverosimile, tanto che Silvia mi ha raccontato che in seguito, quando si scoprì che dietro il rapimento c'era Fioroni, per un attimo un dubbio terribile la assalì: e se fosse un autosequestro, se fosse un modo per finanziare l'amico?

Fioroni non si arrende e, seppur latitante, non vivrà nascosto, anzi si muoverà per Milano, attivissimo nell'organizzare il vero sequestro di quell'amico che lo ha sempre difeso, finanziato e tenuto nascosto.

All'ora dei Vespri

Quando Silvia mi racconta del furto della Porsche, resto colpito dal fatto che nessuno ne fece un dramma: lei era quasi felice o perlomeno sollevata dal fatto che quella macchina così vistosa non sarebbe più stata parte della loro vita, lui per nulla addolorato. Eppure era stata la macchina più bella che avesse mai avuto, il coronamento di un sogno che coltivava fin da bambino, da quando la sorella Maria gli fece la prima patente «valevole per la circolazione in terrazza». Era il 16 ottobre 1956, Carlo aveva 7 anni, e dal foglietto a righe che la madre conservò per tutta la vita tra le sue carte si legge che era alto 131 centimetri, aveva i capelli biondi e un colorito sano. Disegnava continuamente automobili da corsa, poi le ritagliava e organizzava i Gran Premi. Nella solitudine di quella terrazza, che rappresentò il suo mondo fino ai 10 anni, i suoi amici immaginari erano i migliori piloti di ogni tempo. Li

elencava mettendo solo il nome, mescolando passato
e presente, iniziava sempre con Tazio (Nuvolari), poi
Achille (Varzi), Stirling (Moss), Manuel (Fangio), ma
c'erano anche una donna, Maria Teresa de Filippis, la
prima a correre in Formula 1 – che Carlo metteva in
pole position accanto a Moss nelle sue immaginarie
griglie di partenza –, e Umberto Maglioli, che gareg-
giò proprio con la Porsche.

Comincio a pensare che quel furto non fosse un furto, ma un modo per finanziare i suoi amici militanti,
che la Porsche se la fosse lasciata rubare in modo complice per superare così lo scoglio dei controlli del ragionier Damaschi. Ma chi potrebbe dirlo quasi mezzo
secolo dopo? Mi sembra una supposizione affascinante e possibile ma indimostrabile.

Mentre cammino per Quarto Oggiaro con Gianni
Tognoni, diretti a un bar chiuso svariate volte per problemi di criminalità e oggi gestito da una famiglia cinese, vedo passare una Porsche e allora mi torna in
mente quella suggestione. «Ti ricordi la Porsche azzurra di Carlo? Mi sono fatto l'idea che se la fece rubare
di proposito, ti sembra possibile?» «Non lo so, ma c'è
una persona che ai tempi lo sospettava e se sei curioso
di questa storia vai a trovare don Renzo in Duomo.»

L'appuntamento è nel cortile del Palazzo dei Canonici, accanto a Palazzo Reale, un'ora prima dei Vespri.
Non ero mai entrato sotto questo porticato, ai quattro

angoli ci sono delle piante di ulivo, c'è un silenzio totale, non sembra più di essere nel centro di Milano.

Monsignor Renzo Marzorati, 85 anni, canonico del Duomo, responsabile della biblioteca e uomo di una cultura straordinaria, mi sta aspettando di fronte alla porta della piccola abitazione che ospita tutti i ventuno componenti del Capitolo metropolitano, i sacerdoti che si occupano delle liturgie della Cattedrale. Non faccio nemmeno in tempo a presentarmi che incomincia a raccontare: «Questo luogo ha più di mille anni ma non c'è certezza che fosse la Domus Ambrosii di sant'Ambrogio», mentre lo dice tiene gli occhi chiusi e si capisce che per lui invece è così. «Il palazzo che vede è opera del Tibaldi – in verità si chiamava Pellegrino Pellegrini ed era l'architetto preferito di san Carlo Borromeo –, che ci lavorò negli anni Sessanta del Cinquecento. Qui vive l'arcivescovo e noi canonici del Duomo, qui c'è la biblioteca capitolare, nata ben prima dell'anno Mille, la più antica di Milano. Contiene cose meravigliose, incunaboli, cinquecentine, ma io amo più di tutto una piccola Bibbia da viaggio parigina di fine Duecento, chi l'ha scritta a mano deve averci perso gli occhi. Sono oggetti di un valore che oggi non può essere nemmeno immaginato.»

Sono qui perché l'allora don Renzo si occupava dei giovani della chiesa di Santa Francesca Romana, quella che Carlo frequentava alla fine degli anni Sessanta.

«Ricordo quando arrivò insieme a Roberto Latini, presto entrò a far parte di quel gruppo di ragazzi, erano liceali o all'inizio dell'università, con cui si parlava del Vangelo o dell'occupazione dell'università e si andava al cinema una volta a settimana. Aveva appena aperto una delle prime sale d'essai di Milano, si chiamava Rubino e stava in via Torino. Ricordo ancora le poltroncine in legno e una certa fatiscenza, la sensazione di far parte di un vero club di cinefili e un paio di titoli che vedemmo insieme: *Il settimo sigillo* di Bergman e *Dies irae* di Dreyer. Film di una certa densità, di cui andavamo poi a discutere in una vineria che non esiste più e che stava dalle parti di piazza Cordusio.

«Ho un ricordo molto vivo di Carlo, era una persona sensibile, attenta, capace di riflessioni raffinate, ma con una grande inquietudine di fondo, alla perenne ricerca del suo posto nel mondo. Tra noi si creò un bel rapporto, ebbi modo di capire le sue oscillazioni quando un giorno mi invitò alla Scala nel palco della sua famiglia per assistere a un concerto diretto da Carlo Maria Giulini. Da un lato si sentiva a suo agio nel mondo in cui era stato cresciuto, dall'altro mi parlava del peso della sua condizione sociale e dell'ideale di vivere in una maniera diversa. Forse per farmi capire meglio cosa lo tormentava, qualche giorno dopo mi portò a vedere l'attico del palazzo adiacente a quello dove abitava in corso Venezia. Era stato venduto al

Cavalier Invernizzi, che l'aveva trasformato nella famosa villa con i fenicotteri rosa in giardino, ma loro avevano ancora la proprietà dell'ultimo piano. Mi mostrò l'immensa terrazza e mi disse: "Questa è stata la mia scuola elementare e io ero l'unico alunno". Era un posto bellissimo ma isolato dalla vita, dal resto degli esseri umani, da tutti gli altri bambini. Voleva farmi capire quanto dovesse recuperare un rapporto con il mondo, con le persone, e questo era ciò che lo tormentava di più.»

Parliamo di quegli anni Settanta in cui la ricerca di senso dettava la direzione, in cui le contraddizioni sembravano essere ogni giorno sul punto di esplodere, in cui un giovane prete andava al cinema e poi a bere vino con i ragazzi della sua parrocchia, ma don Renzo oggi li ricorda come «tempi feroci» ed è convinto che meglio di chiunque altro li abbia compresi Pier Paolo Pasolini. Mi ricordo perché sono venuto e gli chiedo della famosa Porsche, non mi lascia neanche fare la domanda che a bruciapelo mi risponde: «Quella che si era lasciato rubare?». Parlo esattamente di quella e gli chiedo cosa sapesse. «Che se l'era fatta rubare di proposito. Mi fu chiaro da subito e glielo dissi. Lo guardai negli occhi e lui non negò. Non mi sembrava proprio il caso che se ne facesse prendere un'altra dalla madre e gli consigliai di comprare un'Alfasud, più consona ai tempi e meno attraente. Seguì il mio consiglio.»

Anche l'Alfasud, pochi mesi dopo, diventerà strumento per finanziare la rete di protezione e soccorso dei suoi amici di Potere Operaio. Infatti Carlo la venderà a una «compagna», una di quelli che verranno poi processati per il suo rapimento, per la cifra di 200.000 lire, tanto che il ragionier Damaschi nei giorni del passaggio di proprietà la chiamò per chiederle quali fossero i rapporti tra lei e Carlo, visto che le stava vendendo un'auto con un anno di vita a un settimo del suo prezzo. Damaschi raccontò poi di aver telefonato alla ragazza qualche mese dopo per consegnarle una contravvenzione e per sollecitare l'effettuazione del passaggio di proprietà.

La luce scende, si avvicina il tempo dei Vespri, mi congedo da quest'uomo che senza giudicare aveva capito Carlo e lo continua a portare dentro di sé con affetto. Nel suo studio ci sono tre mandala orientali e sulla porta d'ingresso un santino della cultura popolare buddista, una piccola statua con la faccia truce: «Serve a tenere lontani gli spiriti cattivi, aiuta!». Capisco che deve andare, mi alzo ma lui vuole aggiungere una tessera al suo ricordo: «Nella ricerca di un equilibrio io credo che aver trovato Silvia fosse fondamentale per Carlo, perché la sua era prima di tutto una ricerca di affetto. Dopo il rapimento e la morte, la madre mi chiese un incontro. Andai in corso Venezia e lei mi domandò cosa sapessi della ragazza, se potevo garantire della serietà del rapporto con Silvia, mi disse che voleva riconoscere il bambino o la bambina che sarebbe venuto al mondo, che voleva portasse il cognome Saronio, ma voleva esserne certa. Le risposi: "Signora, avevano un rapporto profondo e intenso, le cose tra loro erano vere e questo figlio ne è la conseguenza naturale". Il mio compito si concluse quel giorno».

Un'eredità velenosa

Carlo non parlava mai di suo padre e dell'azienda chimica di famiglia, una storia di grande successo, una storia ingombrante, che ha lasciato eredità velenose. Il padre cedette la Chimica Saronio nel 1963, quando Carlo aveva 14 anni, al concorrente storico: l'Acna Montecatini. Erano almeno dieci anni che gli affari non andavano a gonfie vele, come era stato negli anni Trenta e durante la guerra. I suoi coloranti per l'industria tessile erano in difficoltà, molte lavorazioni risultavano tecnologicamente arretrate e l'autarchia fascista, che lo aveva fatto ricco, era un lontano ricordo.

Così aveva venduto tutto e investito in grandi cascine e terreni in Lombardia, Toscana e Sardegna, soprattutto in risaie e allevamenti di bovini tra il lodigiano e la Lomellina, le zone di provenienza della sua famiglia. Una sorta di ritorno alle origini e una catarsi per un uomo che con le sue fabbriche non aveva avuto alcuna attenzione per l'ambiente.

Piero Saronio era nato in campagna, a Baselica Bologna, esattamente sul confine tra le province di Milano e Pavia, nel 1886. Oggi ci si arriva pedalando per 20 chilometri lungo il Naviglio pavese, gita domenicale delle famiglie milanesi, allora la città era lontanissima e quella era una zona di analfabetismo dilagante. Piero con una borsa di studio entrò al collegio universitario Ghislieri di Pavia e si laureò con il massimo dei voti in Chimica nel 1911. Aveva una gran fame e una determinazione che non ammetteva distrazioni: trovò subito lavoro in una fabbrica di coloranti, dopo soli quattro anni propose al proprietario di entrare in società con lui per creare una nuova azienda e, nel 1923, vendette la sua parte per mettersi in proprio. Acquistò una serie di terreni tra Melegnano e Cerro, e lo stabile della latteria di Locate Triulzi, dove nel 1926 costruì la sua industria chimica, che aveva come obiettivo di produrre l'intera gamma di coloranti per tessuti facendo concorrenza al monopolio tedesco. Nel giro di un decennio Piero Saronio innovò talmente il settore da battere la produzione straniera e diventare il fornitore unico di tutte le principali filature e i lanifici italiani. Il divieto di comprare all'estero e il suo rapporto con il regime fascista fecero il resto e gli garantirono un mercato immenso.

Tutta la dirigenza e i quadri vennero scelti tra i suoi ex compagni del Ghislieri o tra i nuovi laureati del collegio pavese. Per anni finanziò una ricca borsa per studi di perfezionamento in Chimica, ma quando non ci furono candidati, come nel 1955 e nel 1967, accettò di sostenere studi specialistici in letteratura italiana e greca. L'ultima borsa di studio che assegnerà a suo nome, poco prima di morire e siamo nel 1968, fu a un ricercatore in Psichiatria.

Voleva più di tutto spirito di squadra e obbedienza. Convocava i dipendenti al lavoro anche il sabato e la domenica, e dai ricordi che la famiglia raccolse di lui, per un libro privato stampato dopo la sua scomparsa, emerge un uomo dispotico, accentratore, che non tollerava discussioni, distinguo o ritardi, tanto che il suo motto era: «Preferisco essere temuto che amato». Disprezzava pubblicamente chi perdeva tempo, chi amava la tranquillità o le vacanze e chi non stava ai suoi ordini. Sarebbe troppo facile leggere la storia di Carlo come una ribellione al modello di vita del padre, con il quale non ebbe quasi rapporti, ma non tenerlo presente sarebbe sbagliato.

La moglie, anche dopo la morte di Piero, non nascose mai la sua foto in camicia nera insieme a Mussolini in visita allo stabilimento di Melegnano. L'incontro fu un grande successo per Saronio, che ebbe il coraggio di rompere il protocollo imposto dal cerimoniale e prese il Duce sottobraccio. Gli stabilimenti Saronio diventarono subito parte integrante del piano di Mussolini per costruire l'arsenale italiano delle armi chimiche, quelle che verranno usate in Etiopia nel 1935.

Dal 1940 la produzione a Melegnano viene triplica-
ta, ma non basta, così Piero Saronio nel 1942 apre un
centro chimico militare anche a Foggia, dove produce l'iprite e i gas soffocanti. L'anno dopo raddoppia,
inaugurando il centro chimico militare di Riozzo, vicino a Melegnano, dedicato agli aggressivi chimici.
Uno spazio immenso di 45.000 metri quadrati. Ancora oggi non sappiamo con certezza cosa producesse,
perché da oltre settant'anni quell'area è coperta da se-
greto di Stato. Gianluca Di Feo, giornalista con grande
conoscenza della storia militare, mi ha spiegato che la
vergogna delle armi di distruzione di massa italiane
è una delle pagine più rimosse del dopoguerra, un'e-
redità con cui non abbiamo voluto fare i conti, ma che
continua ad avvelenare la terra, l'aria e l'acqua delle zone dove gli aggressivi chimici venivano prodot-
ti. Su questa storia Gianluca una decina di anni fa ha
scritto un libro sconvolgente – *Veleni di Stato*, pubblicato da Rizzoli – e nelle sue pagine il nome di Saronio
ritorna in ogni capitolo.

Eppure, racconta Silvia, di questa pagina nera Carlo
non parlava mai e la Chimica Saronio non era nei suoi
discorsi e nei suoi pensieri.

L'eredità avvelenata di Saronio a Melegnano è riap-
parsa quando venne costruita l'Alta Velocità; durante
gli scavi per posare i nuovi binari gli operai scoprirono
un'area di fanghi velenosi e residui dell'industria chi-

mica. Per poter procedere, quei terreni vennero messi in sicurezza: recintati e impermeabilizzati, oggi sopra ci passa il treno. Ma erano solo un piccolo spicchio dell'area delle ex fabbriche.

Elisa Barchetta è arrivata a Riozzo, frazione di Cerro al Lambro, 3 chilometri da Melegnano, quando aveva 5 anni. Erano gli anni Ottanta ed era appena nato un nuovo quartiere residenziale di villette a schiera. Dalle sue finestre vedeva la recinzione del centro chimico militare, è cresciuta chiedendosi cosa ci fosse dietro quel muro, che storia nascondessero quegli edifici diroccati. Per molto tempo ha visto i militari fare esercitazioni nell'area che era stata la fabbrica delle armi chimiche di Saronio, poi nel 1992 tutto è stato abbandonato: «Ricordo i miei compagni di scuola che, di notte, cercavano di entrare per andare a curiosare e a prendere i bossoli e le cartucce delle esercitazioni. Per noi ragazzi era un posto pericoloso ma affascinante. Dentro è ancora in piedi un arco con l'aquila fascista gemello di quello dei Fileni che Italo Balbo costruì in Libia nel 1937, per celebrare la conquista italiana, e che Gheddafi ha poi fatto distruggere nel 1973».

Elisa, che è una giornalista, ha cercato di dare risposte alle domande che si faceva da bambina e in questi anni ha portato avanti sul sito «7giorni», un tempo quotidiano cartaceo dell'area del Sudest milanese, una lunga inchiesta sui due stabilimenti Saronio, quello chimico e quello militare. Ha ricostruito la storia, ma soprattutto ha dato visibilità alle analisi fatte sulla popolazione tra il 2000 e il 2006 dalla Asl Milano 2. «Si è scoperto che nei comuni di Melegnano e Cerro al Lambro i carcinomi alla vescica e le leucemie sono due volte superiori alla media regionale e questo appare legato alle ammine aromatiche e al benzene, materiale utilizzato dall'industria chimica Saronio per produrre i coloranti e che qui era presente nella falda acquifera ancora nei primi anni Duemila.» Già un'analisi del 1977, fatta tra i lavoratori della Saronio a dieci anni dalla chiusura dello stabilimento, aveva scoperto che erano colpiti dal tumore alla vescica con un'incidenza tripla rispetto alla media nazionale.

Piero Saronio però non c'era già più: «Finché è stato in vita era considerato un intoccabile. Oggi è giudicato in molti modi. Di dipendenti vivi ne sono rimasti pochi, quelli che sono riuscita a trovare erano molto amari e negativi, ricordavano le produzioni pericolose per vapori e materiali usati e che non c'erano protezioni per gli operai. Tanti sono morti di leucemia e tumori alla vescica, tanti non sono arrivati all'età della pensione. Altri, tra gli anziani del paese, dicono che è stato un benefattore, capace di dare lavoro a 2500 persone, che va ricordato come l'uomo che ha portato il benessere in un'area povera e contadina. I più giovani invece non sapevano nemmeno chi fosse e ignoravano la storia della fabbrica». E pensare che già nel dopoguerra il Consorzio lombardo per la tutela della pesca aveva denunciato la fabbrica per inquinamento. Raccontavano di pesci con le teste deformi e di banchi che galleggiavano moribondi sulla superficie del Lambro. Il comune di Melegnano chiese per anni a Saronio di esibire le autorizzazioni allo scarico dei residui industriali, lui si difese a lungo dicendo che la documentazione era depositata presso il Genio civile, e alla fine dichiarò di averla smarrita.

Ma ora tutti sanno, grazie alle inchieste e grazie al dibattito cittadino sulla necessità delle bonifiche, cosa c'era in quel buco nero alle porte di Milano. Nel 2018 è stata organizzata una grande assemblea pubblica con il sindaco, un rappresentante dello stato maggiore dell'esercito e l'agenzia di tutela della salute della città metropolitana di Milano. Un'assemblea voluta per discutere se il comune dovesse rilevare dal demanio l'area. «Il problema è che c'è un rimpallo di responsabilità tra regione ed esercito su chi debba capire che cosa c'è davvero là sotto e poi bonificare i terreni.» Settantacinque anni dopo la fine della seconda guerra mondiale e del delirio dell'arsenale chimico fascista, la fabbrica dei gas è ancora lì, congelata, la si vede dall'autostrada, all'altezza del casello di Melegnano.

Elisa non sa se Saronio fosse consapevole di quanto fossero inquinanti per l'ambiente le sue lavorazioni e mi racconta che nel 1935 aveva messo in un fabbricato vicino alla stazione cinque mucche di razza olandese per dare ogni giorno ai dipendenti un bicchiere di latte, illudendosi potesse bastare contro le sostanze tossiche. La stalla rimase in funzione fino a metà degli anni Cinquanta. Ma non ci sono invece tracce di depuratori o di interventi di bonifica e prevenzione. Nella mentalità di Saronio non si poteva perdere tempo con questi dettagli. Dopo aver incontrato Elisa, riprendo in mano il libro di famiglia, ricoperto di stoffa verde, con i ricordi raccolti dopo la morte di Piero e ne trovo uno illuminante: «Un giorno ebbe la visita di un ispettore del lavoro. A Saronio fu contestata la mancata osservanza di alcune norme sulla sicurezza; quegli rispose che facendo altrimenti sarebbe stato impossibile produrre. Gli fu replicato che a un ispettore poco interessa la produzione. Allora Saronio prese a calci l'interlocutore. Nessuno seppe mai quale fu la ritorsione».

Il fagiano

Da anni nessuno apre più questo portone marrone, niente tracce di fango sugli scalini di pietra, da troppo tempo non passano stivali di cacciatori. Sul muro di sinistra, però, la scritta è perfettamente conservata, le lettere maiuscole blu continuano a raccontare la funzione di questo luogo: «DI CACCIA».

All'interno, oggi la padrona è la polvere, tutto è immerso nel silenzio, all'esterno comanda la ruggine, i recinti dei cani sono vuoti, i cancelletti si sbriciolano, come la rastrelliera dove venivano esposte le prede: fagiani, beccaccini, beccacce, anatre. Al centro del salone c'è un grande camino tondo ricoperto sui lati da un mosaico rosso, come rossi sono la libreria con le vetrinette, il tavolo, le sedie. Sul muro un fagiano impagliato sembra tenere d'occhio chi entra. Se potesse raccontare i mondi lontanissimi e opposti che ha visto passare in questa casa, non verrebbe creduto: i pranzi di caccia con i notai, gli industriali, i professionisti milanesi, con ospiti come Enrico Mattei, il costruttore dell'Eni, gli incontri d'affari con i clienti stranieri, ma anche le discussioni segrete tra i padri della rivolta studentesca e del terrorismo italiano, per cercare convergenze che colpissero al cuore quel sistema capitalista che proprio questo luogo rappresentava così bene.

Piero Saronio aveva comprato due cascine in Lomellina, San Marzano e Mercurina, nel punto in cui il Po segna il confine tra Lombardia e Piemonte, tra il 1948 e il 1950, nel periodo in cui nasceva suo figlio Carlo. Voleva una riserva di caccia dove tessere relazioni e coltivare amicizie. Per prima cosa costruì un casino di caccia in stile inglese, con trofei, teste di cinghiali, una volpe e quadri di anatre in volo, poi inventò il rito, sempre uguale: l'arrivo la mattina presto, la caccia, il ritorno all'una, il bicchiere di benvenuto sulla porta, il grande bagno dove cambiarsi gli stivali e togliersi di dosso il fango e poi il pranzo, almeno tre ore a tavola, mai cacciagione, meglio il maialino arrosto. Seguivano le discussioni intorno al camino, racconti di cacce mirabolanti, gli ospiti più fortunati avevano partecipato anche alla caccia grossa nella tenuta che Saronio si era comprato in Kenya, dieci volte più grande, sul lago Neivasha, nella Rift Valley. Una tradizione andata avanti per vent'anni, ogni fine settimana. Al tramonto ognuno tornava a casa con il suo bottino di cacciagione, la mattina dopo tre pacchi sarebbero partiti in direzione della casa del parroco, del sindaco e del medico di Pieve del Cairo.

Piero e Marta mi stanno aspettando in fondo al viale di pioppi. Per arrivarci bisogna passare nella stradina che attraversa un raro bosco di antichi ontani neri, dove vivono volpi, tassi, faine e donnole, poi vicino alla garzaia, dove si alzano in volo due aironi. Possono stare tranquilli, fucilate da queste parti non se ne sentono più, la riserva di caccia è diventata un'oasi naturalistica, un santuario per gli uccelli, i daini che al tramonto fanno capolino, i cinghiali che arrivano dall'Appennino attraversando a nuoto il Po.

Padre Piero ha ereditato tutto questo dai genitori, ma si è spogliato della proprietà e l'ha donata a una fondazione senza scopo di lucro istituita per l'occasione, che si chiama «Dare frutto». Si produce riso biologico, carnaroli, arborio e vialone nano, si coltivano orzo e soia, e si fa educazione ambientale insieme all'Università di Pavia. Gli utili oggi servono a restaurare le cascine rifugio delle rondini e delle civette, ma il loro fine sarà quello di finanziare le scuole delle missioni dove Piero opera.

Marta non ci era mai venuta, suo padre era sempre qui da ragazzino, gli misero in mano il fucile che aveva 8 anni, fu costretto a partecipare per anni alle battute di caccia ma non gli piaceva. Carlo non riusciva mai a colpire la preda, prevaleva in lui il disinteresse, preferiva giocare con i cani, tanto che, nell'unica foto di caccia che trovo, mentre tutti mostrano fieri le prede e guardano in camera, lui è di lato, di profilo, piegato ad accarezzare Viola, una pointer bianca e nera che spesso si portava a Milano.

Camminiamo per tutto il pomeriggio tra le risaie, nel bosco, andiamo tra le rovine della Mercurina. Costruita nel Cinquecento come convento dell'ordine medievale degli umiliati e dedicata al cardinale Mercurino Arborio di Gattinara, che tra il 1518 e il 1530 fu Gran Cancelliere dell'imperatore Carlo V, conserva ancora le colonne e gli archi della sala capitolare. Tra i campi la mamma di padre Piero, che era archeologa, un'estate trovò una fornace romana. In fondo a un magazzino, coperta da anni di polvere, vediamo una cassetta di antichi mattoni.

Tra le risaie ci sono anche i resti di una gigantesca voliera, dove in primavera venivano messi i fagiani che sarebbero serviti a ripopolare la tenuta prima della caccia. Un giorno una volpe trovò un buco nella rete, entrò e fece strage, prima che arrivassero i guardiani ne aveva già sterminati settanta.

Il fagiano vide l'ultima caccia a cui partecipò Piero Saronio, era la fine di novembre 1968, si trascinava a fatica, era malato da tempo ma non aveva voluto rinunciare alla tradizione, non sparò nemmeno, accompagnò soltanto gli amici. Quella sera non tornò a Milano ma andò direttamente in Liguria, nella sua casa di Bogliasco, dove sarebbe morto in una bellissima giornata di sole pochi giorni dopo. In quell'anno finiva la sua vita ma stava anche finendo il suo mondo, si apriva un capitolo della storia per lui incomprensibile, dove la contestazione dell'autorità, della ricchezza, del potere e dell'ordine sarebbe stata feroce. Cinque anni dopo suo figlio, in un gesto di rottura assoluto, avrebbe portato di fronte a quel camino due uomini che erano l'estremo opposto del padre: Renato Curcio e Toni Negri.

Carlo aveva messo a disposizione la tenuta di famiglia, un luogo perfettamente isolato dove nessuno avrebbe potuto vederli e sentirli, e ci accompagnò con la sua Alfasud bianca Toni Negri. Carlo Saronio conosceva bene il professore padovano, glielo aveva presentato Carlo Fioroni, ma non partecipò all'incontro: dopo aver aperto la casa di caccia e accolto il fondatore delle Brigate Rosse, si allontanò tra le risaie lasciandoli soli. Se fosse rimasto avrebbe sentito Renato Curcio parlare «della necessità di superare il livello della protesta e di portare l'attacco al cuore dello Stato».

Siamo all'inizio dell'autunno del 1973, Carlo sta per partire per gli Stati Uniti e i brigatisti non hanno ancora sparato, si sono fatti notare con gli incendi delle auto dei dirigenti aziendali e con brevi sequestri di manager, che durano poche ore; il primo è stato Idalgo Macchiarini della Siemens, fotografato con un cartel-

lo al collo su cui appare il famoso slogan «Colpisci-
ne 1 per educarne 100». Il loro modello è quello della
guerriglia urbana, sul tipo dei Tupamaros uruguaiani.
Il salto di qualità arriverà poche settimane dopo con
il rapimento del capo del personale della Fiat Ettore
Amerio, che verrà tenuto prigioniero e interrogato per
otto giorni. Proprio le lotte alla Fiat di Mirafiori, con
gli scioperi e le occupazioni, tra la fine del 1972 e l'i-
nizio del 1973, sono il punto di contatto tra il mondo
di Negri e il programma di Curcio. Una sintonia che
troverà voce nel progetto della rivista «Controinfor-
mazione», che darà spazio ai volantini con le rivendicazioni brigatiste.

Nell'incontro alla Mercurina, su quelle poltroncine
verdi davanti al camino, Renato Curcio cominciò a raccontare i suoi progetti, l'idea di organizzare le Brigate
Rosse per colonne, per fare il salto dal livello della protesta economica a quello politico: «Le lotte operaie» le
parole del leader brigatista le riportò poi Negri «sono
arrivate a un punto che è improduttivo, cioè non si riesce a ottenere più nulla. A questo punto, la domanda
che esce dalle avanguardie operaie è quella dell'attacco allo Stato, cioè della messa in atto di un progetto rivoluzionario aperto».

I brigatisti puntano alle istituzioni e lo dimostreran-
no, nell'aprile 1974, con il rapimento a Genova del giudice Mario Sossi, «processato» e condannato a morte
ma poi liberato dopo che l'azione aveva provocato una

profonda frattura nel dibattito politico sull'opportunità di trattare con i terroristi.

Nella casa di campagna che Carlo aveva aperto per loro, Curcio e Negri si vedranno una seconda volta in quel 1974, ma ormai il tempo corre per tutti, le inchieste e le indagini sul terrorismo si sono intensificate, in giugno a Padova i brigatisti uccideranno per la prima volta, in settembre il leader delle Br verrà arrestato dagli uomini del generale Dalla Chiesa, che a ottobre scopriranno in un covo in provincia di Milano, a Robbiano di Mediglia, un archivio di controinchieste fatte dai brigatisti sui nodi di quegli anni, dalla strage di piazza Fontana (secondo la loro indagine la valigia con la bomba preparata e voluta dai neofascisti venne portata nella banca dagli anarchici, convinti di compiere un'azione dimostrativa e ignari di essere utilizzati) alla morte di Feltrinelli. Nell'azione verranno catturati tre terroristi, ma rimarrà ucciso il maresciallo Felice Maritano.

Gli stessi carabinieri pochi mesi dopo scopriranno che le case della famiglia Saronio erano considerate rifugio sicuro per i latitanti. Carlo non può immaginare che quella rivelazione contribuirà alla sua fine. Una notizia che la madre, la signora Angela, scoprirà incredula solo dopo il rapimento del figlio.

Chiedo a Piero se pensa che sua zia Maria, la sorella di Carlo che subito dopo la morte del padre sposò Giuseppe Natta, il figlio di Giulio, premio Nobel per la chimica nel 1963, possa raccontarmi quella fase della vita della famiglia. Mi spiega che si è ritirata con i suoi cavalli in una cascina sulle colline liguri e che si è tenuta distante, fin da allora, dalle vicende familiari. Dopo qualche giorno Piero mi scrive che la zia Maria non vuole incontrarmi e che ha sintetizzato il suo ricordo del fratello Carlo in due sms che suonano come una sentenza senza appello: «Lui, più piccolo di sei anni e mezzo, ha sempre fatto la sua vita, differente da quella che facevamo io e mia sorella. Lo hanno mandato dai gesuiti fintanto che non ha manifestato l'idea di farsi prete... Era un secondo Feltrinelli: di sinistra ma proveniente da una buona famiglia, a cui è mancato il padre troppo presto per poterlo controllare e che è stato viziato oltremisura dalla madre. Questo è il mio ricordo».

La baita

Un pomeriggio di inizio estate, Carlo porta Gianni Tognoni a vedere la baita sul lago sopra Carate. Arrivano in cima prima del tramonto, vogliono capire se sia
possibile sistemarla per accogliere un po' di amici. La
casa è abbandonata da decenni, piena di ragnatele e
foglie, non c'è l'acqua corrente, per riempire i secchi è
necessario salire fino alla fontana del paese. Ma nonostante tutto decidono che la si può trasformare in un
posto sufficientemente vivibile per godersi lo splen-
dore del lago e del silenzio.

Sono talmente contenti del progetto che sentono il
bisogno di esprimerlo fisicamente come fossero bambini. Per tornare alla macchina prima che faccia buio,
si gettano in una corsa infinita dalla baita fino al lago,
a capofitto, gridandosi a vicenda di non rompersi una
gamba e il collo nelle curve ripidissime. Gianni, quella
sera, scopre un Carlo diverso: «Capace di ridere e di
mettere da parte, per una volta, il perenne imbarazzo
che lo frenava in ogni gesto».

Tornarono spesso in quella casa, che si trasformò continuamente. La corsa della sera dell'inaugurazione rimase mitica e quasi simbolica di quello che andavano a cercare lassù: «Il gusto di rapporti umani liberi, fatti di cose semplici e dirette, la rottura delle abitudini e dei ritmi».

La «casa di Carlo a Carate» divenne un punto di riferimento per tanti, che ci misero dentro lavoro, tempo e fantasia. Tagliarono il prato e le piante, pulirono, rimisero in funzione il camino, portarono dei letti, una libreria, due tavoli. Gianni Tognoni si inventò un luogo di vacanza comunitaria, dove invitava le famiglie degli operai, dove si andava a studiare e discutere, dove si coltivava l'idealismo.

La baita ritornò a essere ciò che era – rovi e ragnatele – dal quel mattino del maggio 1975 in cui, all'alba, arrivarono i carabinieri: «A fare cosa? Mandati da chi? La casa della fiducia era diventata quella del sospetto e non aveva più senso. La corsa di quella sera era terminata».

Quando i carabinieri fecero irruzione, cercando forse tracce dei rapitori di Carlo o immaginando che potesse essere uno dei luoghi sicuri che lui aveva concesso a chi era in clandestinità, trovarono, stupiti, soltanto un frate somalo, un francescano che era salito per preparare in solitudine la sua tesi di laurea. Il giovane prete fu l'ultimo ospite di questa comune con vista lago, poi venne svuotata in fretta e tornò a essere rifugio per i ghiri e regno dell'erba alta.

La baita non c'entrava nulla con quelli di Potere Operaio, con i traffici di Fioroni, con le nascenti Brigate Rosse, era un luogo pulito, gemello della casa di Quarto Oggiaro dove si faceva il risotto con la salsiccia: «Ancora prima dell'arrivo dei carabinieri, però,» ricorda Gianni «il sogno era finito: il rapimento di Carlo aveva ucciso un'idea e una possibilità».

Il racconto di quella corsa l'ho trovato nella prima delle lettere che mi è capitata tra le mani, scavando tra le carte che Piero mi ha lasciato prendere. Gianni lo scrisse per la madre di Carlo, in uno sforzo generoso di farle comprendere chi fosse suo figlio o forse anche per spiegare che in quel posto loro non avevano fatto niente di male.

Vorrei vedere quel luogo, fare quella discesa, cercare di immaginare i passi di Carlo nel posto in cui finalmente si era sentito vivo, in cui aveva tolto la maschera e quel sorrisino distante di cui mi parlano tutti.

Per arrivare alla baita in cima al monte di Carate bisogna fare fatica, la salita è ripidissima, lastricata in pietra grigia, a metà strada incontriamo la vecchia cava abbandonata da cui la estraevano. È tutto così liscio che mi chiedo come riuscissero a far salire le mucche, perché le baite, a 700 metri d'altezza, erano i ricoveri estivi dei contadini che seguivano gli alpeggi.

In quella baita Carlo aveva messo la parte migliore di sé, aveva trasformato un luogo abbandonato in uno spazio di vita e di sogno. Suo padre l'aveva comprata solo come via di fuga, prima della guerra, alla fine degli anni Trenta. A poche centinaia di metri dalla casa, basta attraversare dei prati, si passa in Svizzera lungo i sentieri storici dei contrabbandieri. L'industriale Piero Saronio aveva immaginato che le cose per il regime fascista potessero finire male, così la baita era la sua uscita di sicurezza, ma non si trovò mai nella condizione di doverla usare. Lui non ne ebbe bisogno, ma su quella strada passò invece il convoglio con Mussolini in fuga, che avrebbero fucilato pochi chilometri più avanti.

Mentre camminiamo, Piero mi racconta del rapporto della famiglia con il fascismo. I genitori di Carlo – per lui sono i nonni – non ne presero mai le distanze: la madre votò per tutta la vita Movimento sociale e ripeteva che «il fascismo aveva fatto grandi cose in agricoltura»; il padre non fece mai sparire la sua foto in camicia nera e dopo la Liberazione affrontò da solo fuochi di rivolta in fabbrica e una riunione nel comune di Melegnano che aveva all'ordine del giorno l'idea di nazionalizzare lo stabilimento. La sua sfida fu di rivendicare tutti i posti di lavoro creati e di insinuare la paura che senza di lui la Saronio sarebbe presto fallita, condannando i dipendenti alla disoccupazione. Vinse e non dovette fare nessuna autocritica, la storia delle armi chimiche venne sepolta negli archivi militari e rimossa dalla memoria collettiva, e lui si dedicò ai nuovi clienti, organizzando senza alcun imbarazzo banchetti a casa per gli amici russi e collaborando allo sviluppo nel settore chimico dell'Unione Sovietica.

Arriviamo in cima, il panorama è meraviglioso, la vista spazia su tutto il ramo di Como del lago. Ci facciamo strada fra l'erba alta, la baita è stata venduta vent'anni fa ma i veri proprietari sono ancora i ghiri, che ne hanno fatto la loro enorme tana. Non c'è l'acqua corrente, ma è stato messo un pannello solare per avere energia elettrica. Nella famiglia Saronio c'era il divieto di dormirci, Carlo fu il primo a farlo. Con Silvia. Poi ci portò Gianni e gli consegnò le chiavi: «Fatene quello che volete».

Il trenino

È già il 1975, pochi mesi o forse poche settimane prima della notte in cui Carlo scomparve, è tardo pomeriggio. All'Istituto Mario Negri c'è una riunione, si parla dei problemi del quartiere, partecipano alcuni operai dell'Alfa Romeo. È stato Gianni Tognoni a chiedere al professor Garattini il permesso di concedere uno spazio di dibattito ai lavoratori, gli sembra un modo per tenere le cose alla luce del sole ed evitare finiscano negli scantinati dove i richiami alla lotta armata si insinuano più facilmente. Arriva anche Carlo, prende la parola e pronuncia il nome di Fioroni, non lo aveva mai fatto pubblicamente. Tognoni si spaventa, non aspetta nemmeno che la riunione finisca, afferra Carlo per un braccio e gli dice: «Vieni con me». Gli deve parlare da solo. Chiude la porta, non vuole che altri sentano: «So che conosci Fioroni, visto che lo hai citato, guarda che è una persona di cui non ti devi assolutamente fidare. È la persona più pericolosa per te».

Gianni Tognoni ha avuto un presentimento, ha ascoltato troppi deliri sui modelli sudamericani, conosce meglio di chiunque altro la storia dei movimenti della guerriglia urbana e comincia a parlargli proprio dei sequestri per finanziare nuovi gruppi armati: «In America Latina usano questo metodo per far liberare i prigionieri, rapiscono i ricchi e i banchieri per poi scambiarli con i compagni che sono in carcere. Qui si parla troppo dei Tupamaros, della guerriglia e io ne ho paura perché quel modello porta con sé anche i sequestri». Gianni ha la sensazione che uno come Fioroni una cosa del genere potrebbe pensarla: «Carlo, devi stare molto ma molto attento. Tu sei ricco e ti vogliono sfruttare, lo fanno già adesso chiedendoti mille cose e potrebbero avere strane idee. Devi stare attento a non rimanere incastrato con quelli che giocano a fare i clandestini».

Mi racconta questa scena quarantacinque anni dopo, ma si sente ancora l'angoscia di quel momento e il dolore per non essere riuscito a cambiare il corso della storia: «Era tutto così chiaro ai miei occhi, ma forse Carlo pensava che non potesse capitare proprio a lui, si sentiva immune».

Carlo non disse quasi nulla, come faceva sempre, solo poche parole che fecero sperare Gianni: «Capii che aveva deciso di stare con Silvia, come scelta di futuro, che la viveva in contrapposizione con quel mondo. Voleva una vita normale e dava l'idea di uno che pensava di uscire al più presto da quei giri». Carlo gli fece anche intendere che soldi non ne voleva più dare, che era stanco di finanziare Fioroni e le strutture occulte e questo preoccupò ancora di più Tognoni: «Pensai che forse lo avrebbero rapito proprio per quello, per avere quel denaro che lui gli negava. Quando ho sentito la notizia che era stato sequestrato, ho pensato subito a Fioroni, ai soldi, al nostro discorso e ricordo ancora che dissi agli altri una cosa terribile: "Secondo me lo hanno già ucciso, perché non sanno quello che fanno"».

Prima di lasciarlo andare, prima di aprire la porta del suo ufficio e concludere l'ultimo discorso vero che avrebbero mai fatto, Gianni si fece quasi minaccioso e, nel tentativo vano di salvarlo, gli lanciò una specie di ultimatum: «Smetti di curiosare in quel mondo, smetti di frequentarli, se continui sarà peggio per te».

Carlo parlò poco ma per la prima volta percepì la paura, sentì che il pericolo era reale, le parole di Gianni avevano fatto breccia. Pochi giorni prima del sequestro si confidò con Silvia con un tono che non aveva mai usato, lei capì che aveva deciso di rompere, non scese nei dettagli ma fece un'ammissione che doveva pesargli parecchio: «Non so, penso di aver sbagliato, non voglio continuare a vedere queste persone. Stanno andando troppo avanti».

114

Sono tornato a trovare Silvia, per cercare di capire i pensieri di Carlo. Mi invita a casa e mi presenta suo marito Luigi. Su una mensola della libreria c'è la foto più bella che ha conservato di Carlo: ha un ciuffo che sembra una cresta, gli occhiali da sole e un largo golf di lana bianca con lo scollo a V. «Gliel'ho fatto io, continuava a chiedermi qualcosa fatto con le mie mani, così provai con il golf, poi gli cucinavo delle crostate, aveva bisogno di sentire che ci si prendeva cura di lui.»

Il racconto di Silvia, da qui in avanti, è una terra dolorosa, nella quale non avrebbe mai più voluto avventurarsi. Le chiedo cosa avesse capito Carlo: «Aveva capito che impegno sociale e politica avevano imboccato una strada violenta senza ritorno, per questo si stava allontanando e cercava di tirarsi fuori».

Penso a lui che fa l'autista a Toni Negri e mette a disposizione la casa di campagna per gli incontri con Curcio, e le dico che non capisco perché l'abbia fatto. Lei mi risponde in modo molto asciutto: «Si vergognava delle sue origini e della vita facile che aveva avuto, questo lo aveva spinto verso quei gruppi di estrema sinistra. Per questo frequentava Fioroni, per questo andava alle riunioni, per questo li finanziava».

Espiazione. È l'unica parola che mi viene in mente. Quel tentativo di espiare la colpa della sua condizione che aveva spaventato Alba Carbone Binda, la professoressa del Parini.

Mi offrono da bere, Luigi, che sta accanto a Silvia da allora, è un uomo sereno e penso che sia stato capace di trasmetterle in tutti questi anni un senso di pace. Anche lui aveva conosciuto Carlo nel 1971, si ricorda del suo ventiquattresimo compleanno, della festa che diede nell'appartamento all'ultimo piano, quello dove il padre aveva allestito la scuola elementare per i figli. A colpirlo fu un dettaglio apparentemente insignificante. «Quando entrai, notai questo immenso plastico del trenino elettrico, il più grande che avessi mai visto, era della Märklin, con la stazione, gli scambi, i passaggi a livello. Un sogno. Pensai che il mio stava sotto il letto mentre quello occupava una stanza, ma pensai anche che Carlo non ci aveva giocato con nessuno: era un gioco perfetto ma per un bambino solo.»

L'ultima sera

La sera del 14 aprile Carlo esce di casa alle 10 dopo aver cenato da solo, la madre è partita il giorno prima per la Liguria, per stare un po' nella casa di Bogliasco. I custodi lo vedono passare, pensano stia andando a fare la sua solita passeggiata notturna nei giardini pubblici di Porta Venezia, un'abitudine antica. Invece Carlo prende la Lancia Fulvia coupé e si dirige verso una casa privata poco lontana dall'Arco della Pace, quella mattina è stata convocata una riunione a cui gli hanno detto che non può mancare. Carlo immagina che gli chiederanno dei soldi e mentre attraversa il centro di Milano si prepara il discorso da fare, quella sera è l'occasione giusta per cominciare a prendere le distanze, troppe cose sono successe nelle ultime settimane, vuole provare a mettere ordine nella sua vita.

A casa di Mauro Borromeo, direttore amministrativo dell'Università Cattolica, lo aspettano otto compa-

gni, cinque sono donne, fanno parte del piccolo gruppo in cui è rientrato da sei mesi, da quando è tornato
da Filadelfia. Li frequenta almeno dalla fine del 1972, è
un luogo in cui discutere di politica, dell'imperialismo
americano, della guerra del Vietnam, della paura del
colpo di Stato sul modello dei colonnelli greci, di come
organizzare una nuova resistenza capace di rovesciare
il sistema capitalista. È una struttura semiclandestina a
cui è difficile dare un nome preciso, la cosa più vicina
è definirla rete di soccorso e sicurezza di Autonomia
Operaia Organizzata. Il padrone di casa anni dopo la
descriverà così: «Non era soltanto una specie di San
Vincenzo rossa che aiutava materialmente i carcerati e le loro famiglie con l'invio di fondi. In realtà svolgeva funzioni più profonde: si preoccupava di trovare alloggi dove nascondere persone ricercate come di
tenere collegamenti con un collettivo di avvocati per
difendere i compagni». Vengono tutti dall'esperienza
di Potere Operaio, hanno legami con Toni Negri – che
Carlo aveva conosciuto prima di partire per l'America – e sono convinti che il salto di qualità delle lotte di
massa si possa fare soltanto nelle fabbriche, così si le-
gano alle assemblee autonome dell'Alfa Romeo e della Sit Siemens, dove c'era stato il primo sequestro di
un dirigente da parte delle Brigate Rosse.

Quelli tra la fine del '74 e l'inizio del '75 sono mesi
intensi, l'attività clandestina prende sempre più spazio, progettano e organizzano sabotaggi nelle fabbri-

che, preparano passaporti falsi per le latitanze all'estero e cercano metodi per finanziarsi.

Siamo nella fase di passaggio tra la prima e la seconda stagione del terrorismo, che sarà la più violenta e sanguinaria, e il rapimento e la morte di Carlo rappresenteranno proprio un punto di svolta.

Il passaggio dalla teoria alla pratica, per questo gruppo, era avvenuto nelle settimane successive all'arrivo di Carlo, nell'autunno del 1974, con l'attentato alla Face Standard di Fizzonasco, in provincia di Milano, quando dieci persone avevano incendiato il magazzino interno alla fabbrica che produceva impianti e apparecchi telefonici, dopo aver immobilizzato e imbavagliato il guardiano notturno. Fecero danni per 5 miliardi di lire. La colpa della Face Standard era di essere controllata da una multinazionale americana, la ITT, che veniva accusata di aver appoggiato il golpe del generale Pinochet in Cile.

Ai sopralluoghi alla fabbrica avevano partecipato vari elementi del gruppo, tra cui proprio Mauro Borromeo, che aveva però rinunciato all'ultimo momento alla missione assegnata perché si era «reso conto della pericolosità e gravità» dell'azione. Il gruppo si era poi preoccupato di trovare un alloggio sicuro ad alcuni operai che erano stati coinvolti nel sabotaggio, un'azione che, essendo la prima del suo genere, aveva avuto grande spazio sui giornali e un certo successo nel dibattito all'interno dei gruppi extraparlamentari perché era stata colpita una multinazionale senza fare vittime e senza provocare danni ai lavoratori.

Quello era il periodo in cui a Milano cominciava la pratica del «sabato dei supermercati», le razzie definite «spese proletarie» organizzate proprio dall'Autonomia Operaia milanese. La prima fu all'Esselunga di Quarto Oggiaro il 19 novembre: una cinquantina di ragazzi e operai del collettivo di fabbrica della Face Standard entrarono nel supermercato alle 11, bloccarono le casse e annunciarono al microfono che quella mattina la spesa sarebbe stata gratis. Il supermercato venne svuotato in pochi minuti, moltissimi clienti riempirono i carrelli e uscirono di corsa. La scena si ripeté poco dopo in via Padova.

Il gruppo poi aiutò tre ragazzi dell'area modenese di Potere Operaio, ricercati per la rapina a uno zuccherificio ad Argelato, in provincia di Bologna, prima a fuggire in Svizzera e poi, dopo la loro cattura avvenuta pochi giorni dopo, a trovare degli avvocati che li difendessero. Quella rapina, avvenuta il 5 dicembre 1974, è uno degli snodi centrali del salto di qualità della galassia di cui Toni Negri era il padre fondatore: nella fuga i rapinatori uccisero un giovane brigadiere dei carabinieri, Andrea Lombardini di 34 anni, che era intervenuto nonostante non fosse in servizio. Il sangue era stato versato, la pratica non violenta era finita, e nessuno era più innocente, tanto che lo stesso Negri verrà condannato come mandante dell'azione.

L'opera di sabotaggio del gruppo milanese, però, non ha interruzioni, il nuovo obiettivo, messo a fuoco nel febbraio 1975, è un magazzino della Sit Siemens. L'azione intende dare forza all'assemblea autonoma di fabbrica, che ha in corso una dura vertenza con l'azienda. Per fare il sopralluogo questa volta viene scelto Carlo, che andrà a studiare la fattibilità della cosa proprio insieme a Mauro Borromeo. I due si spaventano e fanno rapporto sostenendo che l'azione è troppo rischiosa perché il magazzino è molto illuminato e ci sono guardie armate che fanno la vigilanza. Si decide di mandare dei compagni più esperti a fare nuove indagini, ma durante una di queste missioni uno dei componenti del gruppo viene fermato e arrestato dalla polizia. L'azione sfuma, ma la ricerca di finanziamenti non rallenta, tanto che si comincia a immaginare un sequestro, esattamente sul modello sudamericano temuto da Gianni Tognoni.

Viene messo nel mirino l'industriale Romeo Invernizzi, vicino di casa di Carlo, quello che ha comprato la villa di corso Venezia proprio dalla famiglia Saronio e ha messo in giardino i famosissimi fenicotteri rosa. A Carlo vengono chieste informazioni, ma anche questo progetto viene abbandonato. Perché tentare un'azione difficilissima quando la vittima giusta è già tra loro, è sufficientemente ricca e straordinariamente facile da sequestrare? L'idea di rapire Carlo comincia a circolare nel suo gruppo, prima come scherzo, poi come provocazione, già alla fine di febbraio. Fioroni si convince che Carlo voglia tornare negli Stati Uniti: nel fine settimana a Bogliasco ha colto il suo desiderio di partire per Filadelfia. Suggerisce allora di accelerare la preparazione del piano, tanto che già a metà marzo verrà rubata, da un gruppo di criminali comuni, l'Alfetta metallizzata con cui lo porteranno via.

Le cose si complicano ulteriormente per Carlo: il 22 marzo, una settimana prima di Pasqua, viene eseguita una nuova perquisizione a casa della ragazza alla quale erano stati sequestrati i volantini che avevano spinto il giudice Caselli a spiccare il mandato di cattura contro Fioroni. Sono i carabinieri del generale Carlo Alberto Dalla Chiesa a perlustrare l'appartamento, questa volta scovano un appunto che contiene i nomi e i recapiti di persone presso le quali compagni in difficoltà potevano trovare «rifugio sicuro». Sono tre fogli di bloc notes e il primo nome della lista è quello di Carlo Saronio, sono segnalate la casa di corso Venezia e quella di Bogliasco. La lista era stata scritta a mano dalla ragazza che, interrogata, spiegò di aver ricevuto quelle indicazioni da Carlo Fioroni nel giugno dell'anno prima. A fianco del nome di Carlo ci sono un'annotazione, «Non prima di ottobre», un dettaglio che quadra con il fatto che fino a quella data era negli Stati Uniti a fare ricerca a Filadelfia, e una raccomandazione: «mandare compagni ben messi perché trattasi di alta borghesia».

Carlo è bruciato, non è più utile per offrire rifugio sicuro, lui lo capisce e immagina vie d'uscita. Gli rimbombano in testa gli avvertimenti di Gianni Tognoni e nella settimana di Pasqua cercherà un po' di pace insieme a Silvia nell'abbazia romanica di Fontanella, a Sotto il Monte, il paese di papa Giovanni XXIII. Un luogo meraviglioso, fondato nell'anno 1080, fatto di silenzio, di preghiera ma anche di incontri.

In quei giorni Carlo e Silvia dialogheranno con padre David Maria Turoldo, teologo, poeta, l'uomo che nella Milano ferita del dopoguerra tenne la predica domenicale nel Duomo per un decennio. Per quasi trent'anni, fino alla sua morte nel 1992, padre Turoldo visse nell'abbazia e lì è stato sepolto. Ricordava alla perfezione quell'intera settimana in cui Carlo lo andò a trovare nell'ultima vacanza della sua vita, tanto che quando fu proprio lui a celebrarne il funerale lo raccontò così: «Quando veniva da noi si metteva sempre in biblioteca e vi sostava a lungo, leggendo e meditando. Naturalmente, la nostra biblioteca ha tutto quello che si può pensare sulla storia delle religioni, sull'inizio della fede, sul modo di credere, sulle ragioni per credere. In quei giorni meditava e leggeva parole che non sono di questo mondo. Anche, forse, per controbilanciare gli studi che faceva nel suo Istituto dove erano soltanto formule: formule chimiche, formule algebriche. E quindi: il mistero e la scienza. Erano i due motivi che lo tenevano sempre vigile, sempre attento».

Un cammino silenzioso, una ricerca di sintesi, la necessità di una strada chiara da imboccare e percorrere. In quei giorni parla a Silvia di una casa, di una casa
normale dove andare a stare insieme, vuole lasciare
corso Venezia, vuole vivere del suo stipendio al Mario
Negri, ha deciso di iscriversi a Medicina e che la sua
missione sarà la ricerca.

Il 14 aprile a mezzogiorno vedrà Fioroni in un bar,
quella mattina è stato rilasciato il gioielliere Gianni
Bulgari, per la cui liberazione la famiglia ha pagato
più di 1 miliardo di riscatto, ed è stata approvata la
riforma della Rai, che dà il via libera alla nascita del
terzo canale. In nome del pluralismo si ufficializza la
lottizzazione: Rai Uno alla Dc, Rai Due al Psi e Rai Tre
al Pci. Sui giornali si scrive della bomba messa sui binari della ferrovia a Incisa Valdarno, che solo per mi-
racolo non ha fatto deragliare la Freccia del Sud. Ma
non parleranno di niente di tutto questo, l'amico che
gli ha preparato la trappola vuole solo essere sicuro
che quella sera uscirà di casa come previsto. Carlo usa
ancora meno parole del solito, gli dice soltanto che ha
una riunione e che tornerà a casa tardi, intorno all'u-
na di notte. Fioroni non ha bisogno di dettagli, li conosce già, cerca soltanto una conferma per far scattare
il piano. Pochi giorni prima proprio Fioroni gli aveva
chiesto di incontrarsi in un altro bar, alle spalle del lu-
napark delle Varesine. Si erano seduti e avevano par-

lato a lungo. Carlo non poteva immaginare che l'incontro serviva soltanto a mostrare la sua faccia a un delinquente comune, seduto pochi tavolini più in là con la moglie. Quell'uomo si chiamava Carlo Casirati, era legato agli uomini del clan di Francis Turatello, era evaso da San Vittore un anno prima ed era entrato in contatto con Fioroni, Toni Negri e il gruppo milanese di Potere Operaio. Era stato in casa del professore a Padova, dove aveva messo a disposizione del gruppo extraparlamentare la sua rete criminale e le sue competenze per organizzare furti, rapine, ricettazioni e rapimenti. Sarà lui la mente operativa del sequestro di Carlo e vuole essere sicuro di riconoscerlo e di non fare errori quando lo dovrà portare via.

Quella sera, in casa di Mauro Borromeo, si discute di una raccolta fondi per i detenuti, tra questi l'amico catturato mentre faceva il sopralluogo alla Sit Siemens. Carlo prende la parola e a sorpresa dice che non può più contribuire. Conosciamo le ultime parole di Carlo e le sue intenzioni grazie a Borromeo che, anni dopo, alla vigilia di Natale del 1979, decise di raccontare ai giudici tutto quello che sapeva.

Borromeo era stato tenuto all'oscuro del progetto di sequestro e rimarrà sconvolto quando sentirà la notizia al telegiornale. Inizierà a sondare tutti gli appartenenti al gruppo per capire chi sapeva, per rendersi conto se ci fossero complicità, e a poco a poco scoprirà che tutti erano al corrente, che c'era chi aveva pianificato, chi aveva collaborato e chi più semplicemente aveva lasciato fare.

Borromeo era il più vecchio del gruppo, non era un ragazzo, ma all'inizio del Sessantotto, mentre già lavorava agli uffici amministrativi dell'Università Cattolica, era rimasto affascinato proprio dall'energia del Movimento studentesco e si era lasciato coinvolgere in seminari sul marxismo e sul futuro delle lotte operaie. Quando lo arrestarono nella grande retata del 1979, aveva già 50 anni, quattro più di Toni Negri. Il gruppo di Potere Operaio, interessato alle sue competenze amministrative, gli aveva chiesto anni prima un aiuto per raccogliere dati e bilanci sulle società multinazionali. Così, a poco a poco, mentre la sua carriera in università procedeva fino alla nomina a direttore di sede della Cattolica di Milano, la carica dirigenziale più alta, si trovò coinvolto in qualcosa di più grande di lui, «in un organismo clandestino» da cui non riusciva a svincolarsi. Era un uomo defilato, che i colleghi definivano «grigio» e «anonimo», arrivava sempre in silenzio, quasi a sorpresa, portava occhiali dalle lenti tanto spesse che gli avevano dato il soprannome di «talpone».

Nella primavera del 1974 uno dei compagni del gruppo gli chiese se poteva usare la casa di sua suocera a Limonta, sul lago di Como, per una giornata tra amici, lui si procurò le chiavi e solo successivamente scoprì che la villetta era stata utilizzata per un vertice tra Negri e i leader delle Br Curcio e Franceschini. Ma neanche allora alzò la voce. Poi lasciarono a casa sua un borsone chiuso a chiave, che lui capì in seguito contenere armi, e gli chiesero di nascondere nella sua cassetta di sicurezza un plico di documenti falsi. Uno di quelli, un passaporto con la sua foto ma con un nome falso, era per lui. Terrorizzato, lo distrusse subito. Dopo il sequestro di Carlo, raffreddò i suoi legami e ridusse al minimo i contatti con il gruppo. Ma loro fino al 1979 non gli diedero tregua, continuarono ad andare a cercarlo chiedendogli una volta di custodire del denaro, un'altra di ospitare un ragazzo evaso dal carcere. Poi venne arrestato, ma in università la cosa non si seppe subito e nessuno ci voleva credere.

Non c'era internet a diffondere le notizie in tempo reale, quello era ancora un compito dei giornali, della carta. Così all'alba della mattina dopo, sperando di contenere e silenziare lo scandalo, il rettorato fece comprare nell'edicola di fronte all'università tutte le copie dei quotidiani che riportavano il nome di Borromeo e della Cattolica. Sulla prima pagina del «Corriere della Sera» Walter Tobagi scriveva: «Il più anonimo ragioniere di mezza età. L'uomo vestito di grigio, tranquillo fino all'ossequio. Capace di sgridare professori e studenti perché appiccicano un avviso sul vetro della porta, anziché sulla bacheca del corridoio. Del cinquantenne Mauro Borromeo, all'Università Cattolica, parlano un po' tutti con sguardi sbigottiti: "Se è un terrorista quello, può essere terrorista anche il vicino di pianerottolo che ieri ti ha fatto gli auguri"».

Borromeo collaborò subito con i magistrati; accusato di partecipazione ad associazione sovversiva e banda armata, alla fine dei processi venne dichiarato non punibile grazie ai benefici della legge sui pentiti. Ma la sua carriera era finita, immediatamente sospeso dalle funzioni non avrebbe mai più varcato il portone dell'ateneo milanese e nessuno dei suoi vecchi colleghi l'avrebbe più rivisto. Lo scandalo rischiò di travolgere anche il rettore Giuseppe Lazzati, considerato troppo progressista e innovatore. Gli ambienti più conservatori della Chiesa e del corpo docente presentarono il caso Borromeo come la chiara dimostrazione di un'università allo sbando.

Quella sera, racconterà Borromeo, discussero dei recenti arresti, del fallimento del progetto di attentato alla Sit Siemens, e quando si arrivò a parlare dei finanziamenti, dei soldi per i detenuti, per la rivista «Rosso» e per una rete di supporto clandestino da costruire in Francia, Carlo si chiamò fuori, disse di non contare più su di lui. Ruppe il suo storico riserbo e raccontò per la prima volta che aveva programmato di mettere su casa e aveva deciso di sposarsi, che avrebbe dovuto sostenere spese rilevanti. Quando qualcuno fece riferimento al patrimonio della madre, lui disse che non aveva accesso a quello, che non aveva altre possibilità perché doveva rendere conto a una famiglia di vecchio stampo.

Carlo aveva fatto il suo passo. Aveva scelto e si era tirato fuori. Ma era troppo tardi.

Si era fatta mezzanotte, accanto alla sua macchina, in mezzo alla strada, quattro finti carabinieri lo stavano già aspettando.

Il rapimento

La riunione finisce poco dopo mezzanotte. È già il 15 aprile. Escono quasi tutti insieme, varcano il portone in sei e si dirigono verso largo Quinto Alpini, dove hanno parcheggiato le macchine.

Da quel momento partono due film diversi, che negli anni hanno trovato materiale di cui alimentarsi. Il primo racconta che due delle ragazze salgono in macchina con Carlo, lui le accompagna a casa prima di tornare in corso Venezia, dove viene rapito appena sceso dalla sua vettura. È un racconto fatto da chi ha partecipato alla riunione e sostiene di non sapere nulla del sequestro.

Il secondo, che appare più dettagliato, ci viene da Carlo Casirati, che segue l'azione che lui stesso aveva pianificato dall'interno della sua Mini. Colloca il rapimento poco dopo l'uscita dalla casa, nei pressi del parcheggio.

Carlo viene avvicinato dall'Alfetta rubata il mese prima, scendono alcuni uomini che si qualificano come carabinieri, due sembra indossino una falsa divisa, gli chiedono i documenti e poi di seguirli. Lui non oppone resistenza, forse da settimane, da quando il suo nome è emerso negli appunti sequestrati, si immagina che l'avrebbero fermato. La macchina si dirige verso la Fiera, dove sosta un attimo per passare a Casirati le chiavi della Lancia tolte dalle mani di Carlo. Il capo della banda torna al parcheggio, sale sulla Fulvia, la guida attraverso il centro della città e la lascia di fronte al passo carraio della casa di corso Venezia. Nasconde le chiavi dall'altra parte della strada, all'ingresso dei giardini.

Intanto i rapitori, durante il tragitto, cercano di narcotizzare Carlo, lo fanno con uno straccio imbevuto di toluolo, contenuto in uno smacchiatore o in un solvente comprato in un colorificio. Lo hanno scelto perché è più facile procurarselo rispetto al cloroformio, che va richiesto in farmacia e quindi lascia traccia.

Non hanno idea delle reazioni che provoca il toluolo, del fatto che stimoli, dopo una prima fase di stordimento, tremori, crampi e iperreattività. Carlo comincia ad agitarsi e, pensando che stia tentando di scappare, i rapitori continuano a premere il tampone sul suo viso, fino a intossicarlo in modo tanto grave da mandarlo in coma. Carlo perde coscienza – ha ormai danni cerebrali importanti – e viene portato nel covo preparato a Sesto San Giovanni. Quando Casirati viene a sapere cosa è successo, corre in una farmacia di viale Monza e acquista un cardiotonico per provare a rianimarlo, ma non c'è più nulla da fare.

Carlo muore quella notte. I suoi sogni, i progetti di vita a cui finalmente ha dato un nome, finiscono con lui in un sacco di plastica. Non ha ancora compiuto 26 anni.

La banda criminale assoldata per l'occasione, di cui fanno parte nomi noti del sottobosco della malavita milanese, lo seppellisce nel letto di un piccolo canale in secca vicino a Segrate, non lontano dal traliccio sotto il quale era morto Feltrinelli.

Ma il piano non viene abbandonato, decidono di fingere che sia ancora vivo per ottenere il pagamento del riscatto.

Alle sei del mattino, poche ore dopo il decesso, squilla il telefono in corso Venezia: una voce anonima chiede di parlare con la signora Angela Boselli, la custode risponde che non c'è nessuno in casa, di richiamare più tardi. La donna si accorge subito che Carlo non è in camera sua e non è rientrato a dormire. Il letto è intatto, ma la sua auto è parcheggiata di fronte al portone. La voce anonima richiama altre due volte chiedendo di qualcuno della famiglia, poi, finalmente, alle 9.30 i rapitori parlano con Armando Damaschi, l'amministratore.

Gli dicono che Carlo è in mano loro e che devono preparare 5 miliardi per il riscatto, da versare in due rate, la prima entro tre giorni. Una cifra esorbitante, più alta di quella pagata per il rilascio di Daniele Alemagna, il figlio del re del panettone, un bimbetto biondo di 7 anni il cui sequestro, pochi mesi prima, aveva sconvolto l'Italia.

Nel pomeriggio, per dimostrare che sono davvero loro ad avere Carlo, danno indicazione di dove sono nascoste le chiavi della Lancia Fulvia.

La famiglia sporge immediatamente denuncia, ma la polizia non si stupisce, i rapimenti in quei giorni sono ordinaria amministrazione: negli ultimi sedici mesi sono stati trentadue, solo a Milano è l'ottavo dall'inizio dell'anno. Non esiste il blocco dei beni, la droga non è ancora l'affare che diventerà alla fine di quel decennio e per la criminalità organizzata i figli dei ricchi e degli industriali sono la principale fonte di finanziamento.

La madre, non appena la informano, si precipita a Milano. Quando arriva in corso Venezia, trova una folla di giornalisti e fotografi di fronte al portone, non risponde a nessuno, è senza parole. Tra le sue carte conserverà una copia della «Stampa» del 16 aprile. In prima pagina, il quotidiano diretto da Arrigo Levi parla dell'imminente caduta di Saigon, la battaglia finale della guerra del Vietnam, Vittorio Zucconi racconta che il presidente Ford e il suo segretario di Stato Kissinger hanno dato ordine di evacuare in elicottero l'ambasciata, i vietcong sono ormai arrivati all'aeroporto. A pagina 16 ecco il pezzo che parla di Carlo, che nel titolo viene qualificato come «industriale»: «Un altro anello si aggiunge alla ormai lunga catena dei sequestri di persona a scopo di estorsione».

Il ragionier Damaschi si trasferisce in corso Venezia, dove vivrà per settimane accanto al telefono insieme a Sandro Tonolli, cugino della signora Angela e avvocato dei Saronio. La famiglia rifiuta subito l'idea delle rate, si dice disposta a pagare, ma la madre vuole prima avere una prova che Carlo sia vivo. Ogni volta che suona il telefono, che nel frattempo è stato messo sotto controllo dalla polizia, lei sussurra a Damaschi di chiedere una foto o di farle sentire la voce del figlio. Le rispondono che Carlo si rifiuta di collaborare e quindi è impossibile fotografarlo.

Le telefonate sono almeno venti nei primi dieci giorni, tutte registrate, poi i rapitori cominciano a dare appuntamenti telefonici nei bar delle vicinanze e così non è più possibile intercettare le chiamate.

Il 26 aprile, dodicesimo giorno del sequestro, il telefonista dice a Damaschi di andare nel bagno degli uomini del cinema Italia, che si trova all'inizio di corso Lodi, e di guardare nella cassetta dello sciacquone. Damaschi esce di corsa, spiega la situazione in biglietteria e lo fanno entrare senza interrompere la proiezione. Nessuno si accorge di lui, gli spettatori del pomeriggio

sono ipnotizzati di fronte alle scene di *Profondo rosso*.
La pellicola horror di Dario Argento, uscita da quasi
due mesi, è ancora in testa alla classifica dei film più
visti, in concorrenza con le disavventure di un uomo
che cambierà i canoni della comicità italiana: il ragionier Ugo Fantozzi.

Nel bagno trova le chiavi di casa e l'orologio di Carlo.
La madre considera quel segnale non sufficiente, sono
oggetti inanimati, non dicono nulla, non dimostrano
certo che Carlo sia vivo. Torna a insistere per la foto.

Allora i rapitori richiamano e dicono che Carlo ha
parlato di una fotografia scattata in Brasile che lo ritrae con un prete e che tiene sulla libreria nella sua camera da letto.

Questa volta la signora Angela vuole credere che il
segnale sia autentico: la foto, in cui c'è anche lei, è uno
dei ricordi più cari che ha con il figlio. La sua mente
quella sera torna all'estate dell'anno prima, quando
insieme erano volati poco sotto l'equatore, a Montes
Altos, un villaggio del Nordest brasiliano sul margine
destro della valle amazzonica. Lì vive Aristide Arioli,
un missionario cappuccino di Melegnano che Carlo era
già stato a trovare due volte perché era il fratello di un
suo caro amico. La prima quando era ancora all'università. Aveva seguito per alcune settimane padre Aristide nei suoi viaggi, si muovevano in jeep nella foresta,
erano rimasti bloccati nel fango, avevano navigato in

canoa per giorni e raggiunto a cavallo sperduti villaggi. Carlo dormiva su un'amaca all'aperto, avvolto nella zanzariera, e non mangiava nulla, solo frutta, per paura dei cibi locali. Era entrato in contatto con gli indios della tribù karakatis e aveva continuato a studiare la sua chimica. Si era portato una sacca di libri e aveva preparato due esami nella casetta con il tetto in legno di cedro di padre Aristide. Era volato in Italia il giorno prima della sessione d'appello e si era meritato un trenta e lode. La stessa sera era riuscito a prendere la linea e a chiamare il missionario per dargli la notizia. In quel periodo brasiliano, di fronte ai bambini denutriti, alle madri che morivano di parto, ai malati senza cure e assistenza, si era convinto che fosse necessario finanziare la costruzione di un ospedale, che verrà poi intitolato alla memoria di suo padre. Era tornato a seguire i lavori e poi all'inaugurazione della nuova struttura da settanta letti insieme alla madre. Si era portato una cinepresa che aveva comprato per l'occasione e aveva cominciato a fare filmini Super8.

La madre, all'inizio, non ne voleva sapere di andare, Carlo le aveva parlato tanto di monsignor Hélder Câmara, che aveva conosciuto nel primo viaggio, e lei era diffidente. Aveva saputo che lo chiamavano «il vescovo rosso» e, preoccupata, diceva alle figlie: «Chissà che idee gli mette in testa». Câmara, che diventerà arcivescovo di Recife e vivrà fino a 90 anni (è scomparso nel 1999), aveva sempre lavorato nelle *favelas* e non faceva mistero della sua convinzione che, oltre a praticare la carità, si dovessero affrontare i nodi e le cause del sottosviluppo e delle disuguaglianze: «Quando io do da mangiare a un povero, tutti mi chiamano santo. Ma quando chiedo perché i poveri non abbiano cibo, allora mi chiamano comunista». Carlo era pieno di entusiasmo per il Brasile e per le persone che aveva incontrato, e nell'estate in cui era a Filadelfia l'aveva convinta: «Vieni con me, ti porto a conoscerlo, è una persona eccezionale, mi ha insegnato il modo vero di amare i poveri». Angela anni dopo ricordava ancora l'incontro: «Fui colpita dalla semplicità di quell'uomo, capii che Carlo aveva ragione». Nella foto citata dai rapitori è circondato da bambini indio e sorride davvero. Quando andava nei villaggi con padre Aristide la curiosità era tutta per lui, per quel ragazzo alto, esile, con i capelli biondi che gli arrivavano alle spalle e la camicia bianca. Aveva colpito talmente tanto l'immaginario di quella gente che una coppia indio gli aveva chiesto di fare da padrino al battesimo del figlio, che aveva preso il nome di Carlo. Da quel giorno sul registro dei battesimi di padre Arioli erano cominciati a diventare sempre più frequenti i nomi Carlos, Carla, José Carlos, João Carlos.

La signora Angela, commossa dai ricordi, vuole credere che quello che è arrivato sia davvero un segno che le ha mandato il figlio.

Alla Questura di Milano, nel reparto Mobile, lavora un maresciallo molto amico della famiglia, Ferdinando Oscuri. È circondato da un alone mitico per la sua stazza (lo chiamano Ercole), la sua capacità di conoscere la Milano delle bande malavitose e per essere stato il primo a catturare Renato Vallanzasca. Quando viene a sapere che hanno deciso di accettare le condizioni dei rapitori, va in corso Venezia per mettere i familiari in guardia: li sconsiglia e confida loro che gli investigatori non considerano quelle prove credibili.

Poi, con tutto il tatto possibile, prende la madre da parte e le dice che ritengono che Carlo sia già morto. Lei non ci vuole credere, è un'idea inaccettabile che rifiuterà per anni, continuando tenacemente e silenziosamente a sperare.

I rapitori richiamano, questa volta risponde la sorella Piera, le dicono il nome della cagna che hanno a Bogliasco, un mastino napoletano che si chiama Dirce. Anche questo dettaglio ad Angela Boselli sembra un messaggio personale di suo figlio, ricorda la discussione che hanno avuto sul nome: Carlo l'aveva chiamata Circe, ma lei, in una disputa mitologica, l'aveva ribattezzata Dirce. Decide allora di pagare: le sembra l'unica soluzione possibile, l'unica strada percorribile.

In assenza di prove il prezzo scende, si trova un accordo per 470 milioni di lire, in banconote da 10.000 e 100.000, da sistemare in due valigette. È un decimo di quanto richiesto all'inizio e questo dovrebbe far capire tutto.

Anche pagare, però, diventa un'impresa. Damaschi e Tonolli vanno due volte con i soldi del riscatto agli appuntamenti fissati. È stato chiesto che usino la Lancia di Carlo. La prima volta non accade nulla, serve soltanto ai rapitori per vedere se la Fulvia è seguita dalla polizia. Nella seconda i sequestratori impongono ai due un giro di tutta Milano alla ricerca degli indizi, che dura una notte intera. Il primo segnale lo fanno trovare all'hotel Cavalieri, il secondo appiccicato a un cartello stradale sulla tangenziale, verso l'alba il viaggio si conclude in una cava di ghiaia a Cernusco sul Naviglio. Lì lasciano l'auto con il denaro e si allontanano a piedi per dare il tempo alla banda di mettere le mani sulle valigette. Ma nessuno le prende. I rapitori hanno visto una Giulia nei dintorni e si sono tenuti lontani. Nella telefonata successiva accusano la famiglia di aver avvisato la polizia, di essersi fatti accompagnare da agenti in borghese, e minacciano il peggio.

Il riscatto viene infine pagato alle 10 di sera del 9 maggio. Questa volta, per non far saltare tutto, la famiglia decide di depistare le forze dell'ordine: Damaschi e Tonolli escono di casa, seguiti a distanza dalla polizia, verso un finto appuntamento. I soldi, però, li ha il notaio Ernesto Masolo – il papà di padre Piero –, che, lontano dagli occhi di tutti, raggiunge un cavalcavia dell'autostrada Milano-Genova, nei pressi dello svincolo di Bereguardo. Si ferma sotto il ponte, apre la portiera e appoggia sull'asfalto la vali.ia in cui aveva trasferito tutte le banconote. Dal buio escono tre uomini che in un attimo, e senza dire una parola, spariscono con il riscatto. Il notaio torna a casa fiducioso e quasi felice. È una notte interminabile. I banditi hanno detto che avrebbero chiamato presto per comunicare il luogo del rilascio di Carlo. Aspettano tutti insieme in salotto. Ma il telefono non squillerà mai.

Il regalo

Alle 8 di mattina del 15 aprile, Silvia ricevette una telefonata da Ernesto Masolo, il notaio che aveva sposato Piera e che poi avrebbe pagato il riscatto. Le chiese
notizie di Carlo, se fosse stata con lui la sera prima e
se avesse idea di dove fosse finito. Le spiegò che avevano trovato la macchina di fronte al portone, ma che
lui in casa non c'era e che non era rientrato a dormire. L'ultima volta che l'avevano visto era stato intorno
alle 22, quando era uscito dopo aver cenato. Silvia non
sapeva nulla della riunione della sera prima e pensò,
immediatamente, che fosse stato rapito. Un'ora dopo,
la telefonata al ragionier Damaschi confermerà che si
trattava di un sequestro.

«Ero agitata e spaventata» mi racconta Silvia «ma,
forse per incoscienza, pensavo che avrebbero pagato il
riscatto e che lui sarebbe tornato a casa presto. Ne eravamo tutti convinti, perché era quello che succedeva
ogni settimana a Milano. Nessuno poteva immaginare fosse già morto. Andai a trovare la madre e le sorel-

le di Carlo in corso Venezia, ma capii subito che non avevano intenzione di tenermi al corrente delle trattative. Così passavo il mio tempo incollata alla radio e leggevo tutti i giornali. Le notizie erano poche, ricordo un grande silenzio e un'attesa infinita.»

In questo silenzio succede qualcosa di ancora più inaspettato: un ritardo. Un ritardo che può significare una cosa soltanto. «Il test di gravidanza lo feci il 1° maggio, due settimane dopo il rapimento di Carlo. Era positivo. Ne parlai solo con mio fratello che, stupito, mi disse di ripeterlo. Non ci voleva credere ed era convinto che il mio ritardo fosse dovuto allo stress di quei giorni.» Silvia lo rifece, ma il risultato fu lo stesso: aspettava un bambino. Un figlio di Carlo.

«In quel momento ero sicura che Carlo sarebbe tornato, certo eravamo molto giovani e non avevamo ancora deciso di fare figli, anche se ne parlavamo spesso, e così rimandai qualunque decisione al suo ritorno, anche se nel mio cuore non ho mai pensato di interrompere la gravidanza.»

Fu di nuovo il marito di Piera, Ernesto, a rifarle la stessa telefonata mattutina, ma venticinque giorni dopo. Aveva appena pagato il riscatto, questa volta portava una buona notizia e con voce sicura le disse: «Vedrai che adesso tornerà presto a casa».

Durante tutto il sequestro nessuno l'aveva tenuta informata, non le dicevano nulla perché diffidavano

di tutti, e probabilmente anche di lei, per via di quel
dettaglio della foto. Quando i rapitori avevano risposto alla richiesta di una prova fornendo il nome della
cagna di Bogliasco e descrivendo la foto che teneva
sulla libreria, la famiglia pensò che quei dettagli potevano venire solo da Carlo. O dall'unica altra persona
che era autorizzata a salire al secondo piano e a entrare nella sua stanza: Silvia. Loro però ignoravano che
c'era un'altra persona che quella camera la conosceva
benissimo, perché c'era stato nascosto: Carlo Fioroni.

Che i sospetti si concentrassero anche su di lei, fu
chiaro quando il settimanale «Oggi» pubblicò un articolo nel quale alcuni conoscenti, che avevano chiesto
di restare anonimi, sostenevano che «a introdurlo in
certi ambienti che non potevano essere i suoi era stata Silvia, la sua fidanzata, una splendida ragazza, accesa simpatizzante della sinistra extraparlamentare».
Sarebbe bastato controllare la sua età per capire che
era una sciocchezza: quando Carlo aveva cominciato
a frequentare Quarto Oggiaro e Fioroni, Silvia aveva
appena 14 anni.

Lei non diede molto peso a quelle illazioni: «Ero sicura che sarebbe tornato, ero fiduciosa e ottimista e
continuavo a pensare alle parole che avrei usato per
dirgli che aspettavamo un figlio». Ma dopo il pagamento del riscatto venne chiamata in Questura, la interro-
garono, le chiesero di Carlo, delle sue simpatie poli-

tiche, delle frequentazioni: «Io non volevo dire nulla,
mi sembrava di tradirlo, pensavo che avrebbe chiari-
to lui le cose al suo ritorno. Non avevo una conoscenza dettagliata e precisa della sua attività politica; lui,
forse per proteggermi, non mi diceva molto, era evasi-
vo e sfuggente. Certo conoscevo Carlo Fioroni, eravamo anche stati insieme a Bogliasco, sapevo che Carlo
lo aveva ospitato in casa in corso Venezia all'insaputa della madre quando era ricercato dopo la morte di
Feltrinelli, sapevo delle sue simpatie e anche che gli
aveva dato dei soldi. Così stavo in silenzio».

A interrogarla erano gli uomini della Squadra Mobile, c'era il maresciallo Oscuri e con lui il commissario Achille Serra. A un certo punto, di fronte al suo silenzio, sbottarono e le dissero: «È inutile che lei tenti
di difenderlo, l'ingegner Carlo Saronio è morto».

«Continuavano a farmi domande ma io non capivo
più nulla e non sentivo più nulla. Stavo malissimo, mi
lasciarono andare a casa ma non riuscivo nemmeno
a camminare. Ero disperata e non ci volevo credere.»

Passarono le settimane e poi i mesi, la pancia di Silvia
cresceva, ma lei non voleva arrendersi all'idea che sarebbe rimasta sola: «Io e sua madre abbiamo continuato a sperare per un sacco di tempo. In fondo alla mia
testa restava accesa la possibilità che Carlo fosse vivo.
Quando andavo in giro, mi sembrava di vederlo tra la
gente, la sua testa spuntava all'improvviso in mezzo
alla folla ma svaniva un attimo dopo».

Per anni Silvia ha sognato il ritorno di Carlo: «Suonava al citofono, mi affacciavo alla finestra e lo vedevo, gli aprivo e mentre lo aspettavo sulla porta mi chiedevo: "E adesso che cosa gli dico? Gli devo spiegare di Marta, raccontargli che è sua figlia". Il sogno è andato avanti per anni e si aggiornava con tutte le cose che mi erano successe: la mia nuova vita, la seconda figlia, il matrimonio con Luigi».

Marta è nata alla vigilia di Natale, alle 16.30 del 24 dicembre 1975: «Ho pensato che quello fosse il mio regalo. L'ultimo regalo di Carlo».

Madonna con Bambino

Gli investigatori non avevano nessuna pista da seguire, solo la voce del telefonista della banda, un accen-
to calabrese a cui non riuscivano a dare un volto. Non
immaginavano nemmeno lontanamente che i gruppi
extraparlamentari potessero avere qualcosa a che fare
con il rapimento. Fino al ritrovamento dell'appunto in
cui si parlava delle case di Carlo come rifugio sicuro
non c'era stato nessun sospetto sulle sue attività, tanto che sia negli archivi della Questura di Milano sia in
quelli del Viminale non esistevano alcun fascicolo né
informativa a suo nome.

Nei primi giorni del sequestro una terribile coin-
cidenza catturò l'attenzione: una settimana prima
della scomparsa di Carlo, una ragazza di 17 anni di
Melegnano, Laura Orsi, era stata rapita mentre tornava a casa dal liceo linguistico di Milano dove studiava. La famiglia, padre impiegato e madre casa-
linga, aveva ricevuto una telefonata con richiesta di

riscatto di 200 milioni di lire. Una cifra impossibile per loro, tanto che si pensò a un errore di persona. Il corpo di Laura venne ritrovato tre settimane dopo il sequestro nel Lambro, lo avevano legato a un masso per non farlo riemergere. Si scoprì che la ragazza e la sua famiglia abitavano in affitto in un appartamento dei Saronio. Ma le indagini non riuscirono a stabilire nessun collegamento tra i due fatti e nemmeno a fare verità. Oggi, a ricordarla, resta una lapide lungo la pista ciclabile che costeggia il Lambro, poco fuori Melegnano, a un paio di chilometri dalla fabbrica chimica dei Saronio.

Poi per caso, nel modo più inaspettato, si accese una luce. Nella notte in cui il ragionier Damaschi e l'avvocato Tonolli erano andati inutilmente nella cava di Cernusco sul Naviglio, la notte in cui la banda di Casirati non si era fatta vedere perché aveva notato una Giulia con a bordo degli agenti in borghese, la polizia aveva annotato la targa di una Simca 1000, nascosta dietro un mucchio di pietre estratte dalla cava. Pensando fosse rubata, aveva tentato di risalire al proprietario. L'auto era intestata alla madre di un rapinatore evaso dal carcere di San Vittore e poi sparito dalla circolazione. Il suo nome era Carlo Casirati. Il capobanda aveva commesso un errore colossale.

Mentre lo cercavano, scoprirono che la sua compagna era Alice Carobbio, una giovane arrestata pochi mesi prima mentre tentava di rivendere un quadro rubato. Le era stata concessa la libertà provvisoria in attesa del processo, ma naturalmente anche lei era scomparsa.

La storia del quadro sembra uscita da un romanzo ed è il primo indizio della collaborazione tra i gruppi eversivi che facevano riferimento a Toni Negri e la criminalità comune, mostrava già la contiguità tra i due ambienti che progettarono e realizzarono il sequestro di Carlo. Il quadro era una preziosissima tavola dipinta nel 1377 da Barnaba da Modena, in cui è rappresentata, nello stile di un'icona greca, una Madonna che allatta il Bambino. Era stata rubata nella notte tra il 25 e il 26 ottobre 1973 dalla chiesa di San Giovanni ad Alba. I protagonisti del furto non erano altri che Carlo Fioroni, che aveva partecipato di persona ai due sopralluoghi in chiesa, e il gruppo di persone che avrebbe incontrato Carlo nell'ultima riunione.

La refurtiva doveva servire a finanziare le attività illegali ed era stata nascosta prima a Padova, dove finì anche in casa di Toni Negri, poi a Milano e infine a Bergamo. Ma presto il gruppo si era reso conto che era impossibile venderla sul mercato italiano, troppo grande e troppo vistosa, così aveva chiesto aiuto a Casirati e ai suoi ambienti criminali. La tavola era stata bloccata dai carabinieri a Treviglio mentre la Carobbio, con la collaborazione di un ricettatore professionista, la stava facendo partire su un camion per la Svizzera, da dove sarebbe poi finita negli Emirati Arabi.

Con il tempo sarà sempre più chiaro che Casirati, dopo l'evasione dal carcere, aveva cominciato a frequentare gli ambienti di Autonomia Operaia, a organizzare e realizzare con loro le rapine, a falsificare documenti, a procurare armi e a costruire con Toni Negri un rapporto personale tale che il professore – come racconta Antonella Beccaria nel suo libro *Pentiti di niente* – cederà a lui e ad Alice Carobbio il suo letto matrimoniale per una notte. Sarà sempre Alice a nascondere, in casa di un suo parente, la valigia con i soldi del sequestro.

Mentre era in corso la caccia a Casirati, la mattina di sabato 17 maggio, all'ufficio politico della Questura arrivò una telefonata del capo della polizia cantonale del Ticino, il signor Lepri, che annunciava la trasmissione di un verbale:

Verso le ore 16:00 del giorno 16 maggio 1975 la ausiliaria Bernasconi della polizia Comunale di Lugano, in servizio in piazza Battaglini, indirizzò una coppia di giovani che le chiedevano dove potessero effettuare dei cambi, avendo le banche già chiuso gli sportelli, all'ufficio cambio Parini in via Funicolare. La stessa ausiliaria, subito dopo, venne avvicinata dalla signora Balestra Maria la quale le riferì che, poco prima, passeggiando con il marito, era passata di fianco a una panchina su cui era seduta la coppia dei giovani in questione e aveva notato che la valigetta, che tenevano semiaperta sulle gambe, era piena zeppa di biglietti di banca svizzeri di grosso taglio. La solerte ausiliaria, annotato il nome della Balestra, si avviò nella direzione suggerita e avvistata la coppia avvertì telefonicamente la propria centrale perché facesse giungere velocemente, presso l'ufficio cambi Parini, una pattuglia. Qui la coppia venne quindi fermata e accompagnata negli uffici della polizia Comunale. La valigetta, così come affermato dalla signora Balestra, risultò contenere un numero rilevante di banconote di diverse nazionalità per un valore complessivo di circa 65 milioni di lire. Dichiararono di essere venuti in Svizzera la mattina del giorno precedente, entrando dal valico di Chiasso, a bordo di una Fiat 124 targata Reggio Emilia, di proprietà e condotta da un loro amico, al fine di effettuare, a scopo speculativo, una serie di cambi di valuta. Dalla carta d'identità che esibì l'uomo risultò chiamarsi Bordoli Pierluigi. Ma poiché il sedicente Bordoli fu trovato in possesso di un passaporto intestato a Tassan Solet Silvio e di una patente intestata a Balemi Adriano e poi, al momento di compilare il foglio di stato civile, dichiarò di chiamarsi in effetti Fioroni Carlo e di essere ricercato in Italia per partecipazione alla banda armata «Brigate Rosse», la polizia Comunale consegnò la coppia alla polizia Cantonale che ne dispose il fermo.

La ragazza che era con Fioroni era la sua nuova compagna, con la quale progettava di scappare in Francia. Era stata lei a procurargli il passaporto falso, rubandolo al vero Silvio Tassan Solet, un povero studente mantovano che aveva affittato una stanza a casa sua.

Fioroni raccontò che quei soldi, che erano arrivati a Lugano nascosti all'interno di una bombola di gas montata sulla Fiat 124, provenivano da una rapina fatta a un portavalori abusivo. Ma in tasca gli trovarono tutte le ricevute dei cambi effettuati in diverse banche, così la polizia, approfittando della circostanza favorevole di avere due giorni di tempo prima della riapertura degli sportelli, riuscì a rintracciare tutte le banconote originali, scoprendo dai numeri di serie che erano quelle pagate dalla famiglia Saronio per il riscatto.

Fioroni venne portato nelle carceri svizzere in attesa di estradizione e, interrogato da Achille Serra, dieci giorni dopo ammise che i soldi facevano parte del riscatto, ma si inventò un'altra storia improbabile. Raccontò di aver scoperto dai giornali del rapimento di Carlo Saronio e di aver subito sospettato di Casirati, visto che questo, alcuni mesi prima, gli aveva proposto il sequestro dell'amico. Lo aveva rintracciato e Casirati non solo aveva ammesso di essere l'autore del rapimento, ma gli aveva anche chiesto un aiuto: aveva bisogno di dettagli da mandare alla famiglia, poiché Saronio non voleva collaborare e si rifiutava di mandare un suo scritto alla madre o una foto.

Fioroni allora – così raccontò alla polizia mentre era nel carcere svizzero –, pensando che l'amico fosse ancora vivo, diede a Casirati le informazioni di cui aveva bisogno, la foto del Brasile e il nome della cagna, in cambio del 10 per cento del riscatto. Tre giorni dopo il pagamento, Fioroni passò all'incasso e a Treviglio ricevette la sua parte da Alice Carobbio, la compagna di Casirati.

Il 12 dicembre 1975, nel sesto anniversario della strage di piazza Fontana e dodici giorni prima che Marta nascesse, al valico di Brogeda la polizia elvetica consegnò Carlo Fioroni alle autorità italiane. Interrogato dal giudice istruttore Gerardo D'Ambrosio, raccontò un'altra storia ancora, che andò a riempire un verbale di 107 pagine. Questa volta si attribuì la responsabilità dell'ideazione del sequestro, scagionò i compagni ma coinvolse in pieno Casirati e gli altri della banda. Svelò anche il nome del telefonista: un calabrese detto «lo scotennato», il cui vero nome era Giustino De Vuono, un passato nella Legione Straniera francese.

I custodi

Come ogni mattina, anche domenica 18 maggio 1975
Antonio Sozzi uscì dal portone della casa di corso
Venezia 30 per andare a comprare i giornali: prese il
«Corriere della Sera», «La Stampa» e «il Giornale» di
Indro Montanelli, che, nonostante esistesse solo da po-
chi mesi, era già diventato il quotidiano preferito del-
la signora Angela.

Anche Antonio era apparso da poco nella vita di Angela Boselli, vedova Saronio, ma godeva ormai della sua fiducia: come autista della signora la accompa-
gnava nel giro quotidiano che prevedeva la messa, la
visita alla tomba del marito al Cimitero Monumentale, eventi di beneficenza e, prima del rapimento del figlio, qualche concerto.

Antonio era arrivato in corso Venezia insieme alla
moglie Silvana, venivano da Cremona ed erano stati assunti come custodi. Fecero in tempo a conoscere
Carlo e a essere protagonisti del tragico risveglio del

15 aprile: furono loro ad accorgersi che non era tornato a dormire e a scoprire la macchina parcheggiata fuori casa la mattina dopo il sequestro. Furono anche i testimoni dell'attesa e dello strazio della madre fino agli anni del declino e della morte.

Silvana oggi ha 85 anni, con Antonio, che ne ha tre di più, divide il suo tempo tra Milano e il lago di Garda, ricorda ogni cosa con estrema chiarezza anche se non ha fatto pace con quello che è successo e parlarne le riesce difficile. «Eravamo arrivati in casa Saronio grazie a mia zia Santina, cameriera e dama di compagnia della signora Angela, ma lei ormai era anziana e così io, che non avevo ancora 40 anni, la sostituivo nei lavori più pesanti. Diventammo presto parte della casa e, dopo il ritiro della zia, presi il suo posto. Le siamo stati accanto fino alla fine, anche se a un certo punto la dovetti affidare a una badante perché dovevo prendermi cura di mio marito che si era gravemente ammalato. La signora finì i suoi giorni in solitudine: le amicizie di un tempo erano scomparse. Che tristezza rendersi conto che non era rimasto più nessuno.»

Tornato a casa con i giornali, Antonio cominciò a sfogliarli velocemente come faceva da 33 giorni, da quando Carlo era stato rapito. Prima di portarli alla signora, aveva il compito di controllare se ci fossero articoli sul figlio: il riscatto era stato pagato da poco più di una settimana, il rilascio non era avvenuto, ma si continuava a sperare. Marito e moglie guardavano i giornali insieme, cominciarono con il «Corriere» e, arrivati a pagina 15, si sentirono gelare il sangue: «Al centro della pagina» ricorda Silvana «c'era la foto di un uomo con i baffi e gli occhiali, c'era scritto che si chiamava Fioroni ed era stato arrestato in Svizzera. Io l'ho riconosciuto subito, era l'amico che Carlo aveva ospitato a marzo, che aveva dormito in casa insieme alla sua ragazza e diceva di chiamarsi Bruno. Non avevo dubbi, gli avevo aperto io il portone e l'avevo accompagnato al secondo piano. Siamo corsi subito ad avvisare il ragionier Damaschi, l'amministratore, perché non sapevamo come dirlo alla signora, era una cosa troppo grossa per noi. Qualche ora dopo venni convocata in Questura per testimoniare. Allora spiegai che quell'uomo trovato con i soldi del riscatto era un amico che lo aveva tradito».

In Questura a interrogarli c'era il capo della Squadra Mobile Antonio Pagnozzi, mostrò loro anche la foto della ragazza arrestata insieme a Fioroni, che sui giornali non era uscita, e loro la riconobbero come la fidanzata del professore, la ragazza che era stata ospite in corso Venezia.

Tre giorni dopo, la notizia del riconoscimento era sul «Corriere», che nell'articolo per la prima volta ipotizzava che Carlo fosse stato ucciso e che le prove della sua esistenza in vita – la fotografia brasiliana e il nome della cagna di Bogliasco – fossero state fornite proprio dall'amico Fioroni, che conosceva la casa. Il mondo continuava a crollare in testa alla signora Angela, le speranze vacillavano. Nello stesso articolo il «Corriere» attribuiva agli inquirenti quattro ipotesi che avrebbero spiegato la mancata liberazione: «1) Carlo Saronio potrebbe essere stato soppresso proprio per aver riconosciuto uno dei suoi carcerieri; 2) potrebbe ancora essere in stato di segregazione, nella speranza dei rapitori di ottenere più soldi; 3) potrebbe essere d'accordo con i suoi carcerieri per un certo ideale politico; 4) se legato a sua volta a qualche movimento eversivo, il rapito potrebbe avere tutto l'interesse a far perdere le tracce. C'è da chiarire però che Carlo Saronio, simpatizzante di sinistra, non aveva certo le stesse convinzioni politiche del Fioroni».

Anche a Silvia quella mattina, quando vide la foto di Fioroni sul giornale, crollò il mondo addosso. Le sembrava impossibile che l'amico a cui Carlo teneva così tanto, quello con cui avevano trascorso il fine settimana al mare nel loro luogo del cuore, potesse averlo tradito, così si ritrovò a pensare che i due fossero d'accordo, che l'ipotesi dell'autosequestro potesse essere plausibile. Un'idea che tra i suoi compagni di militanza in Autonomia Operaia era stata a lungo coltivata, ma che non sapremo mai se fosse stata realmente proposta a Carlo. Silvia temeva che il suo ragazzo si fosse messo in una situazione senza via d'uscita, non

sapeva più a cosa credere, sperava di rivederlo presto
ma le cose si complicavano ogni giorno di più. Solo la
scoperta della morte di Carlo spazzerà via definitivamente questa ipotesi: non era complice del sequestro
ma soltanto una vittima.

Da quel momento ogni giornale che contenesse un
articolo «importante» venne messo in una cartellina che
la madre portò con sé, nei vari traslochi, fino alla morte.
Una cartellina che aperta oggi ci racconta le tappe
di un calvario.
Quella frase pubblicata sul «Corriere della Sera», letta da tutta la borghesia milanese, quel sospetto di poliziotti e magistrati che Carlo potesse essere complice di chi lo aveva sequestrato le toglievano il sonno e
la umiliavano. Così Alessandro Tonolli, che oltre a essere l'avvocato dei Saronio era anche cugino di Carlo,
e Armando Damaschi, l'amministratore che aveva tenuto i rapporti con i sequestratori, decisero di provare
a smontare la terribile supposizione. D'accordo con la
madre scelsero di parlare con «il Giornale». «È possibile che Carlo Saronio sia addirittura passato dalla parte dei suoi rapitori?», cominciava così l'articolo pubblicato venerdì 23 maggio, che nelle intenzioni della
famiglia sarebbe dovuto servire a ristabilire la verità e
a chiarire che Carlo era una vittima e non un complice dei terroristi. Il ragionier Damaschi spiegò di aver
incontrato Fioroni, ma sottolineò che in casa nessuno

sapeva chi fosse davvero: «Ci fu presentato da Carlo come il professor Bruno, credo che nemmeno lui conoscesse la sua vera identità. Non poteva certo riconoscerlo da qualche foto comparsa sui giornali al tempo del caso Feltrinelli, perché il Fioroni aveva ultimamente mascherato i suoi precedenti connotati mettendosi lenti a contatto al posto degli occhiali e adottando un taglio di capelli diverso». Damaschi, che era un conservatore, rimase sempre convinto della totale estraneità del giovane ingegnere alla galassia dei movimenti extraparlamentari o forse, nella sua lealtà verso una famiglia a cui doveva molto, si sentì in dovere di tenere il punto fino alla fine.

Alessandro Tonolli, invece, intuì molto di più e con il cronista del «Giornale» non riuscì a fingere che il cugino fosse completamente estraneo al mondo dell'estremismo: «Carlo probabilmente si è trovato, *come altre volte*, con i suoi rapitori senza sospettare di loro. Forse gli hanno detto di aver bisogno di denaro e Carlo ha rifiutato di aiutarli. Da quel momento l'incontro si è trasformato in un sequestro. Carlo aborre la violenza, non l'accetta né la giustifica. L'ingegnere è un progressista come idee, ma non significa che egli possa essere un rivoluzionario».

Tonolli non poté fare a meno di pensare a quella passeggiata notturna fatta con Carlo nei giardini di Porta Venezia alcune settimane prima del rapimento. Sapeva perfettamente quali sentimenti tormentassero il cugino. Quel ricordo continuerà a riemergere, tanto che, nel maggio 1978, sentirà il bisogno di scriverlo in una lettera alla signora Angela, che stava raccogliendo testimonianze per fare un libro di famiglia in memoria del figlio scomparso. Scrisse:

> Carlo aveva fatto della sperimentazione metodo di vita, non solo per deformazione professionale. La sua cultura era di formazione cattolica, non integralista: sapeva che la perfezione sta solo nelle scienze, alle volte, e nella luce della divinità. Si mise a frequentare la società reale, quella ignorata della periferia, degli emigrati, dei diseredati, di chi credeva nella ribellione come panacea di tutti mali. Di giorno frequentava quanto di meglio offrivano le scienze e di sera teneva corsi elementari, dove non solo portava i rudimenti del leggere e dello scrivere, ma anche le sue idee. Una sera, era molto tardi, ci incontrammo rincasando. Non ricordo l'anno, so che era una sera tiepida soffusa del profumo che nella dolce stagione mandano i tigli di via Palestro. Lo invitai a una passeggiata. Accettò a condizione che non ripetessi la frase che per lui aveva un suono sinistro: «Chi te lo fa fare di perdere le notti per assolvere a una funzione che non è tua?». Lui, normalmente riservato, si sciolse in un monologo quasi acrimonioso: «Finché voi state barricati nel vostro quartiere, come te, chiuso tutto l'anno in uno studio, non potrete mai conoscere e non avrete diritto di giudicare chi sta al di fuori. Voi con la frattura dello spazio create anche quella sociale: fra persone che non si conoscono non c'è dialogo

e chi non dialoga non conosce. In quella frattura si insinua la guerra. Si deve uscire dal bunker, andare a vedere, per capire ciò che stando tra le mura dorate di un appartamento del centro ignoriamo. E per di più, con insulto alla coerenza, abbiamo la presunzione di giudicare senza conoscere». Quando Carlo scomparve, molti si sono posti la domanda che feci a lui in termini provocatori. Io che per primo l'avevo formulata, la sera della verità, ebbi compassione non di lui che si era dissolto nel nulla ma di me che non avevo compreso l'immoralità della frase senza farmelo dire.

La madre voleva capire, non riusciva a farsene una ragione, continuava a chiedere che si comprassero tutti i giornali, perfino «l'Unità», che tra le mura di casa sua non era mai entrata. E proprio dall'organo del Pci ritagliò e sottolineò un articolo dell'8 giugno 1975 dal titolo: *Carlo Fioroni: un avventuriero al soldo del maggior offerente.*

Chiedo anche alla signora Silvana chi fosse Carlo Saronio, mi risponde con poche parole: «Era un ragazzo bravissimo, molto gentile con noi, non voleva neanche che mio marito gli portasse la borsa o la valigia, voleva fare da solo. Era nato ricco ma voleva essere povero e basta, voleva essere una persona normale».

L'inverno

Nell'estate del 1975 esplode la disco music, si balla con Donna Summer, l'Italia si fa ipnotizzare da *Yuppi du* di Adriano Celentano, ma alla radio spopola la strappalacrime *Piange il telefono* di Domenico Modugno. A giugno le Brigate Rosse rapiscono l'industriale dello spumante Vittorio Vallarino Gancia, ma il covo dei terroristi, una cascina vicino ad Acqui Terme, viene subito individuato dai carabinieri che fanno irruzione. I brigatisti fanno fuoco e lanciano tre bombe a mano per aprirsi una via di fuga, uccidendo l'appuntato Giovanni D'Alfonso. Nella sparatoria morirà anche Mara Cagol, fondatrice delle Br e compagna nella vita di Renato Curcio.

In corso Venezia invece l'estate è vuota, immobile e silenziosa. La signora Angela è appena entrata in quelli che definirà «gli anni del calvario», cominciati in una data esatta: non il momento del rapimento di Carlo, ma quello dell'arresto di Fioroni. Quel giorno, quando vide anche lei la foto sul giornale, troppe cose si mescolarono nella sua testa: alla sofferenza per il sequestro di un figlio, alla paura di non rivederlo mai più, si aggiunsero la sensazione terribile di non aver capito troppe cose, l'idea che Carlo fosse stato ingannato e tradito dagli amici e, forse, che anche lei fosse stata ingannata e tradita da suo figlio. In questo caos della ragione la tenevano in piedi solo la speranza, sempre più flebile ma mai abbandonata, che fosse ancora vivo e l'attesa di avere un corpo da seppellire nella tomba di famiglia al Cimitero Monumentale di Milano.

Molte cose continuavano a parlarle di lui e la illudevano che quel telefono avrebbe finalmente squillato, per avvisarla che Carlo stava tornando a casa. La prima era che Fioroni si diceva convinto che fosse ancora in vita, tenuto prigioniero in Calabria. La seconda erano i continui sequestri che terrorizzavano la città. Così lei guardava i giornali alla ricerca di conferme e ogni giorno si ripeteva che c'erano rapimenti che duravano da ben più tempo. Sottolineava con la matita rossa le lunghezze dei sequestri e l'elenco di coloro che non erano ancora tornati. E poi c'erano le carezze: tra le sue carte aveva conservato con cura un numero di settembre del settimanale «Tempo» sul quale era stata pubblicata una «inchiesta-pronostico per individuare i cento giovani italiani leader del futuro». Al numero 19 c'era la fotografia di Carlo e nel testo lo si definiva «studioso geniale e di grandi capacità», poi si spiegava che era stato rapito il 14 aprile e che da allora di lui non si era saputo più nulla, ma, poiché la scelta dei nomi era stata fatta prima, ritenevano «doveroso» lasciarlo nella rosa dei candidati al successo. Tra gli altri cento ragazzi c'erano promesse che non avrebbero deluso: il critico e poeta Maurizio Cucchi, l'editore e professore Cesare De Michelis, una delle colonne della Rai come Italo Moscati o il creatore di «Dylan Dog» Tiziano Sclavi.

Il 24 dicembre la signora Angela diventò nonna: era venuta al mondo Marta. Proprio quella mattina il «Corriere della Sera» pubblicò una nuova confessione di Fioroni: «Sono stato io a progettare il sequestro di Carlo Saronio». Durante otto ore di interrogatorio nel carcere di Como aveva raccontato al giudice istruttore Gerardo D'Ambrosio che l'operazione era stata affidata a un gruppo di delinquenti comuni, che dopo il rapimento «c'era stato un incidente sul lavoro» e che Carlo aveva avuto un malore, ma di non sapere se fosse vivo o morto. Per Angela, quell'ultimo dubbio non era motivo di sconforto ma di fiducia, e le permise di coltivare un pensiero felice: che Carlo fosse diventato papà. In quei giorni il libro più letto e discusso era *Lettera a un bambino mai nato* di Oriana Fallaci, con i suoi interrogativi sull'opportunità di far nascere un figlio in un mondo così ostile. Silvia quel genere di dubbi non li aveva avuti e pochi giorni dopo la signora Angela telefonò all'avvocato Cesare Rimini per chiedergli come fare per dare a Marta il cognome di Carlo.

L'anno nuovo non portò nessuna novità, gli investigatori non facevano passi avanti, del capobanda Casirati non c'era traccia – si saprà soltanto dopo che lui e la sua compagna Alice erano scappati con il resto del riscatto in Venezuela, dove avranno anche loro una bambina –, Fioroni dopo la confessione non aveva più parlato e il telefono di casa Saronio non aveva mai più squillato. Nelle carceri cominciarono a circolare, sempre più insistenti, le voci che Carlo fosse morto. La signora Angela, invece, non voleva arrendersi e cominciò a fare di tutto per provare a ritrovare il figlio, perfino, come confidò lei stessa anni dopo, «cose incredibili» come affidarsi ai maghi, ai sensitivi e alla parapsicologia.

Poi, tre giorni prima della Domenica delle Palme del 1976, il castello delle speranze crollò di schianto: il giudice D'Ambrosio spiccò dieci mandati di cattura «per il sequestro e l'uccisione di Carlo Saronio». Il magistrato spiegò di non avere più dubbi, l'ingegnere era stato assassinato dai suoi rapitori, per questo nell'atto d'accusa scrisse: «omicidio volontario aggravato e occultamento di cadavere».

A quel punto Casirati tornò a farsi vivo da Caracas con il ragionier Damaschi, l'amministratore dei beni di famiglia, e, cercando di speculare sulla sofferenza della madre e sul suo ultimo desiderio di dare sepoltura al figlio, chiese 200 milioni per rivelare dove aveva nascosto il cadavere. Non li otterrà, ma con questa mossa si scoprirà, verrà arrestato e quello stesso anno raggiungerà i suoi complici in carcere in Italia.

Angela Boselli Saronio, distrutta da quella che ormai sembrava anche a lei una certezza, si arrese, cambiò passo e cominciò a dedicarsi non più alla ricerca ma alla memoria del figlio. Andò a trovare il professor Umberto Veronesi e si offrì di finanziare studi sul cancro con donazioni da intestare a nome di Carlo. Le sembrò così di proseguire le ricerche del figlio.

Nel maggio 1977 Fioroni e i due complici arrestati a Lugano vennero rinviati a giudizio insieme alla banda dei criminali comuni e nella sua requisitoria il giudice D'Ambrosio ricostruì il clima e la genesi del rapimento, sottolineando che dopo la scoperta del documento che mostrava i legami tra il gruppo di Fioroni e Carlo (l'appunto sulle case dove i compagni potevano trovare un rifugio sicuro), quest'ultimo era «bruciato» e «tornava nell'alveo dei ricchi borghesi da utilizzare per la causa», cioè da «espropriare» per finanziare la lotta armata.

La madre continuava a ritagliare e raccogliere gli articoli che parlavano del figlio, ma sfogliando le sue cartelline è evidente che non era interessata alle singole responsabilità o alle dinamiche del rapimento, voleva soltanto ritrovare il corpo di Carlo per dargli sepoltura. Così lunedì 20 novembre 1978 lanciò un appello dalle pagine del quotidiano «La Notte» che il giornale titolò: *Fatemi avere le ossa di mio figlio*. Passarono solo tre giorni e Carlo Casirati, a sorpresa, chiese la parola al presidente della Corte e cominciò a raccontare una storia nuova: «Io non parlo per chiedere clemenza ma voglio confessare per togliermi un peso dalla coscienza affinché il corpo del Saronio venga restituito alla madre». Poi consegnò ai giudici una piantina disegnata da lui sulla quale con una crocetta era segnato il luogo in cui avevano nascosto Carlo, nell'alveo di un piccolo canale in un prato lungo la strada tra Vimodrone e Segrate. Il processo venne immediatamente sospeso e il giorno dopo, alle 8 del mattino, cominciò il sopralluogo in un campo che sinistramente si chiamava «Agro Tombaia». Il colpo di scena risvegliò l'attenzione dei giornali e delle televisioni, il «Corriere della Sera» mandò due inviati e il racconto della giornata si riempì di dettagli.

In mezzo a una nebbia sottile arrivarono prima le volanti della polizia, che tra le proteste dei contadini lasciarono solchi profondi nei campi, poi una ruspa, vigili del fuoco con vanghe e picconi, giornalisti, fotografi e parecchi curiosi giunti dal nuovo quartiere residenziale Mediolanum sorto a poche centinaia di metri da lì. Alle 10 arrivò dal carcere di San Vittore il furgone cellulare con Carlo Casirati. Il capobanda, ammanettato, sembrava uscito da un film sulla mala marsigliese: Ray-Ban a goccia e lungo impermeabile di pelle marrone. Cominciò a camminare verso un piccolo fossato, seguito da carabinieri, magistrati e medici legali, si fermò accanto a un cespuglio di acacia e disse soltanto: «È qui». Il presidente della Corte d'Assise Antonino Cusumano diede ordine alla ruspa di cominciare a scavare. Otto minuti dopo, quando emerse il frammento di una tibia, decisero di continuare a mano. Nel fossato scesero due pompieri e il famoso maresciallo della Mobile Ferdinando Oscuri, l'amico di famiglia che aveva visto Carlo crescere. Fu lui che, prima con una pala e poi con le mani – aveva indossato dei lunghi guanti di gomma rossa che gli arrivavano al gomito –, fece emergere lo scheletro rannicchiato e girato su un fianco. C'erano resti di stoffa, il residuo di un giubbotto e alcuni barattoli di pepe bianco (con l'etichetta in francese), utilizzati per cospargere il corpo così da evitare che potesse essere trovato dai cani.

Alle spalle dei magistrati c'era il ragionier Damaschi, in rappresentanza della famiglia. Osservava in silenzio, cappotto blu e cappello color crema, e si preparava a tornare in corso Venezia per dare la notizia alla signora Angela prima che potesse sentirla alla radio o leggerla sui giornali del pomeriggio. Mai Damaschi, che era stato un funzionario della Prefettura di Voghera e non aveva ancora 60 anni (vivrà fino ai 90, com-

piuti nel 2010), avrebbe immaginato di finire al centro di vicende così dolorose, di dover trattare con banditi e terroristi e passare notti e settimane insonni. Aveva accettato, nove anni prima, di seguire gli affari di famiglia dopo la morte di Piero Saronio per lealtà verso un uomo che conosceva da tempo. Ora gli sarebbe toccato il compito più duro: spegnere per sempre la luce a una madre, annunciandole che era stato rinvenuto, in mezzo alla terra di un campo di periferia, lo scheletro del figlio.

Fece il viaggio in macchina fino al centro di Milano insieme al «Vise» – Luciano Visintin –, storico cronista del «Corriere» che riuscì a entrare in casa e divenne testimone del colloquio che racconterà così:

La signora Angela, mandata a chiamare dal custode, scende dal primo piano con la figlia Piera. Vengono fatte entrare nello studio del ragioniere, come per una comunicazione d'ufficio. «Quando sono venuto via di là» riesce faticosamente a dire Damaschi «avevano già scoperto il bacino e ho visto spuntare una tibia e poi l'elastico degli slip…» Il ragioniere indugia su piccole, povere cose concrete, che la signora segue con tremuli «sì, sì» tenendosi appoggiata allo schienale di una poltrona rossa e tormentandosi le mani. «Ho raccomandato a Ferdinando (Oscuri) di far conservare bene la dentatura… la tibia però era lunga, di un uomo alto come era lui. Non credo che ci siano dubbi.» La madre, in un soffio: «Speriamo». «Ha detto speriamo, signora?» Ci risponde a fatica ma con dolcezza: «Sì, perché al-

meno avrò un corpo da mettere vicino a quello di suo
padre. Sarà una piccola consolazione. Ma per me è abbastanza grande». Se ne va sorridendo, camminando
con pena. E soltanto in quel momento capiamo che la
scoperta di Vimodrone è per lei la conclusione di una
lunga veglia funebre, di una speranza impossibile che
adesso le portano via, lasciandola finalmente sola nella sua stanchezza senza lacrime.

Questo è l'ultimo articolo presente nella cartellina, poi Angela Saronio non conserverà più nulla: nessun ritaglio di giornale sulla sentenza, le condanne, il
processo d'appello. Per lei la storia è chiusa, deve organizzare il funerale che si terrà il 16 dicembre nella
chiesa di San Babila, dove si era sposata all'inizio della seconda guerra mondiale e dove mi darà appuntamento Marta quarantadue anni dopo.

«Era inverno, faceva molto freddo, il ricordo di Carlo
lo fece padre David Maria Turoldo, riuscì a parlare di
lui in modo autentico, poi siamo andati al Monumentale e lo hanno messo nella cappella Saronio, la grande tomba di famiglia. Era passato tanto tempo, Marta
stava per compiere 3 anni, finalmente potevamo tutti
chiudere questa storia.» Silvia non dice mai una parola di troppo, i suoi ricordi sono asciutti e ogni volta mi
guarda interrogativa, quasi a chiedere se può bastare.
Padre Turoldo, invece, quel giorno parlò a lungo, de-
finendosi «amico da molti anni e fratello di Carlo», ri-

cordò l'ultima settimana di vita, quella pasquale passata a Sotto il Monte, e scelse di leggere le Beatitudini dal Vangelo secondo Matteo: «Le ho scelte perché almeno in qualcuna di esse abbiamo sper..nza di ritrovarci anche noi: "Beato l'afflitto, beato il mite, beato colui che piange; colui che è misericordioso, chi avrà fame e sete della giustizia". Soprattutto Carlo sia beato per la luce che splende *in caliginoso loco*, la luce che non dovrebbe spegnersi mai, qualunque sia la notte che attraversiamo».

Padre Turoldo, che era un poeta e andava alla ricerca delle cause profonde, non si limitò ai racconti e nemmeno alla predica, ma sottolineò che quella morte era venuta in virtù di un'amicizia: «Pensate: non c'è nulla di più evangelico. "Amico, è così che tu tradisci un povero figlio dell'uomo?"».

Destini

Al processo di primo grado andò in scena un balletto di versioni, in cui ognuno cercò di difendere se stesso e scaricare le responsabilità sugli altri. Anche solo provare a raccontarlo significherebbe perdersi tra meschinità e menzogne.

Alla fine Carlo Fioroni venne condannato a 27 anni di reclusione perché una cosa risultò chiara ai giudici: era lui l'ideatore primo del rapimento. La pena per il capobanda Carlo Casirati fu di 25 anni, per la sua compagna Alice Carobbio gli anni furono 12, mentre ne prese addirittura 30 Giustino De Vuono, il telefonista, l'uomo che era stato messo alla guida del sequestro grazie al suo curriculum nella Legione Straniera.

Prima dell'apertura del processo d'appello, siamo all'inizio di dicembre 1979, Fioroni stupì di nuovo: dal carcere di Matera, dov'era detenuto, chiese di incontrare i magistrati. Disse di essersi dissociato e di voler fare rivelazioni sulla struttura e le attività illegali di Autonomia Operaia. Non parlò più soltanto del sequestro Saronio, ma allargò il racconto a tutte le attività del gruppo clandestino di cui era stato parte – dal furto della tavola del Trecento all'attentato alla Face Standard, dalla rapina di Argelato ai rapporti con le Brigate Rosse – coinvolgendo non solo Toni Negri, ma tutto il suo gruppo e le donne e gli uomini che avevano passato l'ultima sera con Carlo. Prima di Natale, nell'operazione chiamata «21 dicembre», furono arrestati tutti. Pochi giorni dopo anche Casirati, che era nel carcere di Novara, si disse disposto a collaborare e aggiunse elementi al quadro che i giudici stavano componendo. I loro verbali confluirono nella grande inchiesta che scosse come un terremoto politica, informazione e movimenti extraparlamentari: l'indagine «7 aprile» del giudice Pietro Calogero, per la quale vennero arrestati con Toni Negri personaggi come Franco Piperno e Oreste Scalzone.

Le confessioni furono raccolte dal giovane magistrato trentenne Armando Spataro, che aveva vinto il concorso in magistratura un mese prima del rapimento di Carlo e aveva preso servizio a Milano il 16 settembre 1976. Accanto a lui arrivò da Torino un sostituto procuratore appena più grande, Giancarlo Caselli.

L'appuntamento con Armando Spataro è in un bar vicino al Palazzo di Giustizia milanese. È in pensione da un anno e mezzo, ma è come se una calamita invisibile lo tenesse legato ai luoghi in cui ha lavorato tutta la vita. Ci sediamo e lui, come fa ogni mattina, ordina contemporaneamente un cappuccino e un caffè, poi inizia a raccontare. Cominciò la sua carriera proprio occupandosi dei sequestri di persona, lo misero accanto a Ferdinando Pomarici, il procuratore che per primo bloccò i beni delle famiglie dei rapiti per impedire i pagamenti. Una strategia coraggiosa e rischiosa che diede in breve tempo i suoi frutti mettendo fine alla stagione dei sequestri a Milano. «Imparai subito che le mafie si aggiornano continuamente: dopo usura, estorsioni e rapine erano passate ai sequestri, terminati questi cominciò l'era del traffico di stupefacenti, ma io ero già su un altro fronte.»

Nel giugno 1977 era previsto a Milano il processo a Renato Curcio, pochi mesi prima era iniziato quello di Torino ai capi storici delle Brigate Rosse. Per bloccare il sistema giudiziario tutti i brigatisti revocarono il mandato ai loro avvocati e minacciarono di morte i legali che avessero accettato di fare i difensori d'ufficio. Al termine di un lungo braccio di ferro, dopo molte rinunce, il presidente della Corte affidò l'incarico di tutte le difese al presidente dell'Ordine degli avvocati di Torino, Fulvio Croce. Alpino e poi partigiano, Croce, che aveva 76 anni, accettò con grande senso dello Stato, cosciente di essere diventato un simbolo da colpire. Il 28 aprile 1977, cinque giorni prima dell'avvio del processo, mentre entrava nell'androne di casa, si sentì chiamare: «Avvocato». Non appena si voltò, un killer brigatista gli sparò cinque colpi con la stessa pistola che pochi mesi dopo avrebbe ucciso il vicedirettore della «Stampa» Carlo Casalegno. La sua morte seminò il terrore in città e ci volle un anno per riuscire a formare una giuria popolare: per quaranta volte i cittadini estratti per fare i giurati si tirarono indietro, presentando certificati medici che diagnosticavano una sindrome depressiva, poi uscì il nome della segretaria del Partito radicale Adelaide Aglietta, che non si tirò indietro. Così si poté finalmente celebrare il processo. A difendere gli imputati si presentò anche il successore di Croce alla presidenza dell'Ordine degli avvocati di Torino.

In questo clima il procuratore capo di Milano Mauro Gresti chiamò Spataro, che aveva 28 anni, e gli chiese se lui – sconosciuto e fuori dai radar dei terroristi – se la sentisse di portare avanti l'accusa contro Curcio. Spataro accettò a patto di avere il tempo per studiare la storia del terrorismo e la sua genesi. «Io il Sessantotto l'ho fatto in piscina, vivevo a Taranto e passavo la vita a giocare a pallanuoto, non mi occupavo minimamente di politica e non sapevo nulla dell'estremismo, lo avrei scoperto dieci anni dopo.» Si preparò talmente bene che ottenne la condanna di Curcio e da quel momento cominciò a specializzarsi allestendo il primo pool antiterrorismo e un coordinamento tra i magistrati di tutta Italia: «Per scambiarci le informazioni sulle inchieste, per aggiornarci a vicenda, ci incontravamo riservatamente ogni quindici giorni in luoghi lontani dagli occhi e dalle orecchie dei giornalisti, come una caserma della polizia stradale a Ovada. Non esistevano i computer, le e-mail, i dischetti, così ognuno fotocopiava per tutti gli altri i verbali degli interrogatori e confrontavamo documenti e volantini di rivendicazione per cercare i punti di contatto tra le varie sigle terroristiche. Ci dividevamo i compiti e ci aiutavamo senza gelosie. Anche così fu sconfitto il terrorismo. Mettemmo a punto un metodo di lavoro unico, che verrà poi usato nella lotta alla mafia e contro il terrorismo di matrice islamica».

Nel dicembre 1979 Spataro ricevette la visita dell'avvocato di Fioroni, che gli disse che il suo assistito intendeva collaborare: «Partii per Matera e l'interrogatorio durò una settimana intera. Ho sempre considerato Fioroni un pentito credibile perché era in una crisi profonda e perché aveva cominciato a collaborare prima della legge che garantiva i benefici. Il dolore di aver tradito un amico lo tormentava. Raccontò con chiarezza il doppio volto di Autonomia Operaia e di Toni Negri, le attività pubbliche e politiche da un lato e quelle clandestine dall'altro». Gli racconto che la sera prima ho parlato con Giancarlo Caselli, che ricorda perfettamente quegli anni e non esita a definire Negri «il cattivo maestro». Spataro sorride, avrebbe voglia di polemizzare – lui che è di sinistra – con intellettuali e giornalisti che «in maniera indegna» hanno difeso il professore di Padova, ma aggiunge soltanto: «A chi lo descrive come una vittima ricordo che è stato condannato per la rapina allo zuccherificio di Argelato in cui venne ucciso un carabiniere».

Grazie alla collaborazione e alla nuova legge sui pentiti, in appello le condanne sia di Fioroni che di Casirati vennero ridotte a soli 10 anni.

Carlo Fioroni uscì dal carcere il 4 febbraio 1982, dopo meno di 7 anni di detenzione, ottenne un passaporto e riparò in Francia.

Carlo Casirati, invece, tornò a vivere a Treviglio insieme ad Alice Carobbio e alla figlia. Si mise a recuperare rottami di trattori e macchine agricole. La sera del 19 ottobre 1991 la sua Lancia Thema finì fuori strada a poche centinaia di metri da casa. Il suo corpo fu ritrovato in un campo la mattina dopo, aveva addosso il pigiama e sopra un impermeabile. Non si capì mai cosa fosse successo. Aveva 49 anni.

Giustino De Vuono, il telefonista calabrese che aveva tenuto i contatti con il ragionier Damaschi e che era stato espulso dalla Legione Straniera perché troppo violento, prima dei processi evase dal carcere di Mantova; segnalato in Brasile e Paraguay, fu catturato in Svizzera nel 1981. Venne associato alla strage di via Fani, quella in cui furono uccisi gli uomini della scorta di Aldo Moro, un'accusa mai dimostrata. Morì in carcere nel 1984, non si sa dove sia stato sepolto.

Infine c'è Rossano Cochis, che si è fatto 37 anni di carcere per essere stato il braccio destro di Renato Vallanzasca, uno dei banditi della Comasina, uno dei protagonisti della mala milanese negli anni dei night, delle bische, del gioco d'azzardo, dei rapimenti e dell'ingresso in città della cocaina. Coinvolto da Casirati e Fioroni per il rapimento di Carlo, venne processato e condannato, ma ha sempre negato di essere stato parte del gruppo. Uscito dal carcere, dove ha passato la vita per una somma di reati che andavano ben oltre il sequestro Saronio, ci aveva tenuto a far sapere che era stato avvicinato da Casirati ma si era tirato indietro, non per scrupoli morali, ma perché aveva altro da fare.

Avevo progettato di andare a cercarlo, volevo farmi raccontare la storia dal suo punto di vista, ma il lockdown me lo ha impedito. Appena è stato possibile viaggiare è partito per la Puglia, voleva fare un bagno, sentirsi libero. Arrivato a Vieste, sul Gargano, prima è passato in chiesa per accendere un cero alla memoria degli amici, ormai tutti scomparsi, poi si è tuffato in mare. Non è più riemerso. Aveva 73 anni.

Mare calmo

Padre Piero arriva che non sono ancora le 9, ha chiesto il permesso di dire messa nel minuscolo Santuario delle Grazie, dove, quando era bambino, lo portava la nonna Angela nelle domeniche d'estate. Marta arriverà due ore dopo in treno. Hanno deciso di tornare dove tutto è cominciato, dove Carlo invitò Silvia a raggiungerlo tra le onde. Oggi, invece, il mare è tranquillo e l'acqua è calda.

Lo aspetto al passaggio a livello di un paese che per me è casa: a Bogliasco, in Liguria, ho passato ogni estate della mia vita, non ho mai mancato la processione e i fuochi d'artificio di metà luglio, ma mai avrei pensato che la villa vicino al gelataio nascondesse tante storie. I miei nonni arrivarono qui all'inizio degli anni Cinquanta, Piero Saronio – il padre di Carlo – sul finire degli anni Trenta. Bogliasco, dopo la guerra, era un borgo marinaro pieno di vita, turismo e mondanità, aveva una quindicina tra alberghi e pensioni e al Casablanca erano di casa Mina, Ava Gardner con Walter Chiari (la cui zia era la severissima maestra elementare del paese) e persino il torero Dominguín con la moglie Lucia Bosè. Piero Saronio si era innamorato di un prato a picco sul mare, su un lato c'era un frantoio e la proprietà era spezzettata fra decine di contadini, che usavano quello spazio come orto. Ci mise parecchio tempo a convincerli, ma quando finalmente tutta la terra, dalla strada fino allo strapiombo, diventò sua, si sposò con Angela. Lei amava il verde sopra ogni cosa e lo convinse a non rovinare quel giardino e a costruire la casa lungo la strada. Piantarono otto magnifiche palme delle Canarie e un immenso roseto, con i cui petali coprivano tutta la strada di fronte alla villa in occasione della festa del Corpus Domini; costruirono una grande piscina in marmo, alimentata con l'acqua di mare, il buco c'era già: la voragine aperta da una bomba inglese sganciata nella grande incursione aerea del 17 luglio 1944, che distrusse 120 case, uccidendo 21 persone; allestirono una marina capace di contenere un motoscafo Riva, un gozzo a remi e una barca a vela che appendevano alla scogliera con una gru.

In paese ricordano ancora quando la famiglia arrivava per la villeggiatura: «Era un avvenimento,» mi raccontano i fratelli Mario e Gianni Polleri «tutti si fermavano per guardare la grande Rolls-Royce nera con l'autista, seguita da una seconda auto per il personale di servizio». Mario e Gianni erano bambini e correvano alla finestra per vedere il furgone che trasportava le mucche: «Sì, perché ogni volta si portavano dietro pure due o tre vacche per avere sempre il latte fresco. Una cosa da non credere. Avevano costruito una stalla in un terreno dall'altra parte della strada, che poi è stato donato al comune per la costruzione della scuola materna che porta il nome di Saronio».

Mentre Piero si mette i paramenti sacri, le signore del paese incuriosite si chiedono chi sia quel «sacerdote ragazzino» con il pizzetto biondo. Tra loro c'è Virginia Peruzzi, che per mezzo secolo ha servito il miglior gelato di Bogliasco. Quando le spiego che è un missionario venuto dall'Algeria per cercare le tracce dei suoi nonni Piero e Angela e di suo zio Carlo, si illumina e mi inonda di ricordi. Prima mi chiede a bruciapelo: «Figlio di Piera, la maggiore, o di Maria?». «Di Piera.» «Bene, la più chiacchierona, non sembrava far parte della famiglia, veniva a prendere il gelato e si fermava a scherzare. La madre, la signora Angela, invece, non ha mai preso un caffè al banco e nemmeno al tavolino, era una persona d'altri tempi, riservata, quasi timorosa, veniva soltanto a ordinare le pastine o le torte per gli ospiti. Vivevano separati dal paese, in una bolla. Dal cancello della grande casa però abbiamo visto il loro declino. Qui è morto il padre Piero Saronio e qui era la madre quando le rapirono il figlio.

Bogliasco si riempì di giornalisti e fotografi, facevano domande a tutti, ma la verità è che nessuno aveva idea di niente. Scoprimmo che Carlo aveva messo a disposizione la villa per terroristi latitanti e non potevamo credere che quello spilungone timido avesse avuto simili frequentazioni. La signora Angela ha continuato a venire per vent'anni, ma senza più il corteo di auto. Poi sono scomparse le barche e abbiamo visto il giardino andare in malora. Prima del passaggio di secolo hanno venduto. Vai a vedere in che stato è ridotto tutto, sembra la parabola di quella famiglia.»

Il santuario dove Piero sta per dire messa è pieno di ex voto, cuori d'argento per le grazie ricevute. Li hanno messi uomini di mare scampati alle tempeste e ai naufragi. Un grande quadro mostra l'affondamento del transatlantico *Principessa Mafalda*, il 25 ottobre 1927, al largo delle coste del Brasile. Fu il più grande disastro navale italiano, in cui affogarono 314 persone tra cui il comandante, rimasto a bordo mentre colava a picco il piroscafo più bello d'Europa. Si salvò un marinaio bogliaschino, il fuochista Emanuele Brunetto, che fece dipingere la tela per ringraziare «Nostra Signora delle Grazie». La geografia dei quadri racconta l'era dei viaggi per mare e delle migrazioni verso l'Argentina, molti partirono da qui non solo per navigare ma anche per andare a fare i cuochi e i camerieri a Buenos Aires.

Piero inizia a celebrare, ha una stola verde e legge la

parabola del Vangelo sul grano e la zizzania che cre-
scono insieme. Nella sua predica ricorda la storia dei
sette monaci di Tibhirine, in Algeria, che vennero sequestrati e uccisi dai terroristi nel loro monastero nel
1996 e a cui è dedicato il film *Uomini di Dio*. Piero racconta la vita di questi monaci trappisti, che vivevano
in armonia con la popolazione musulmana in un villaggio ai piedi delle montagne dell'Atlante: «Era in
corso la guerra civile, c'erano continuamente attenta-
ti e massacri e i monaci si chiedevano se partire. Un
pomeriggio andarono a parlare con il capo del villaggio, uno di loro disse che si sentivano come uccelli a
cui era stato tagliato il ramo: "Se ce ne andiamo ve-
niamo meno al nostro voto, ma se restiamo rischiamo
di venire uccisi". Gli rispose la moglie del capovillag-
gio: "Non avete capito, gli uccelli siamo noi, voi siete
il ramo". Decisero di restare. Vennero uccisi, ma il loro
martirio salvò il villaggio, uno dei pochi a non essere
devastati dai terroristi».

Piero parla ai fedeli, una quarantina di persone che,
per via del distanziamento sociale, si allargano fin sul
sagrato, dell'importanza di prendersi cura di noi stessi
e degli altri, di costruire ponti e guarire ferite. Lo rag-
giungo mentre si toglie i paramenti, nella sua predica
c'è tutto il senso della giornata che stiamo per vivere.
Non è venuto a Bogliasco solo per tornare a vedere la
casa in cui passava le vacanze da bambino, e in cui non
mette piede da più di vent'anni, ma per aiutare sua cu-

gina Marta a fare pace con la propria storia. «La famiglia ha colpe gigantesche nei suoi confronti, l'ha fatta sentire un'estranea, quasi un'intrusa.»

Mentre camminiamo verso la stazione gli chiedo di spiegarmi la vicenda delle cause legali, siamo in anticipo, compriamo un pezzo di focaccia e ci fermiamo su una panchina. «La nonna Angela cominciò subito l'iter per la paternità e in pochi anni riuscì a dare a Marta il cognome. Ma quando diventò maggiorenne, nel 1993, i parenti, cioè mia madre e la zia Maria, dietro suggerimento di mio padre che da notaio conosceva ogni cavillo, contestarono il riconoscimento, appigliandosi a un difetto di forma: l'atto di citazione era stato notificato a Carlo come persona dispersa, quando si sapeva già che era morto anche se non era stato ancora trovato il corpo. Cominciò così un processo per dichiarare nullo il riconoscimento, toglierle il cognome e, naturalmente, escluderla dall'asse ereditario. La nonna, che era ancora viva, si schierò dalla parte di Marta, ma questo non fermò le figlie. Il Tribunale di Milano però respinse la richiesta. E poi c'è la storia del Dna, la più dolorosa.»

Siamo nel 2001, dopo la morte di Angela Boselli si ritrovano tutti dal notaio: Marta esce in lacrime. Le viene contestato nuovamente che sia davvero la figlia di Carlo, si finisce ancora una volta in Tribunale, stavolta il suo avvocato propone l'esame del Dna per accertare definitivamente la paternità. Marta pensa di rinunciare, sta troppo male all'idea che possano aprire la bara e riesumare il cadavere. Il perito del Tribunale allora trova una soluzione, chiede che il Dna di Marta venga confrontato con quello delle zie, si presenta solo la mamma di Piero, ma il risultato non lascia alcun dubbio e finalmente nel 2011, quando ormai Marta ha 36 anni, arriva la sentenza definitiva: Carlo era suo padre.

Da quel momento le zie non le parleranno più.

Piero capisce che certe pagine vanno girate, che tocca a lui far sentire Marta a casa, includerla, aiutarla a riscoprire la storia e chi fosse suo padre. Per questo ha deciso di contattarmi, per questo lui e Marta seguono le tracce del libro che sto scrivendo. Insieme sono saliti alla baita sopra il lago, con loro c'era anche Silvia, insieme sono andati alla scoperta della cascina di caccia, insieme hanno riscoperto gli album delle fotografie e i filmini. Ne hanno trovato uno che racconta una giornata sugli sci, alla Presolana, di Carlo e le sue sorelle da bambini, lo aveva girato la madre. Ma il più bello, me l'ha raccontato Silvia, è quello che Carlo aveva girato ad Acquasanta Terme, vicino ad Ascoli Piceno, dove lei lo aveva portato alla festa per le nozze d'oro dei suoi nonni. Un ambiente dove ospitalità significava stare a tavola per ore, mangiare e bere, cantare e ballare. All'inizio Carlo guardava tutto con l'occhio dell'antropologo, poi era stato contagiato da un'umanità calda e accogliente e – per dirlo con le parole di Silvia – «si capisce che per un momento era stato davvero felice».

Il treno di Marta arriva puntuale, la prima tappa del nostro viaggio è la vecchia villa, ad aprirci ci sono i fratelli Polleri, che l'hanno rilevata ma non sono ancora riusciti a entrarci perché è gravata da troppe grane giudiziarie. Gli ultimi venticinque anni di vita della signora Angela, che cominciano con la morte di Carlo, sono una discesa continua, segnata dai debiti, dalla vendita delle case, dei terreni, delle azioni. Prima vende il palazzo di corso Venezia e si trasferisce in un appartamento borghese di tre stanze, fuori dalla cerchia dei Navigli, poi si stringe ancora e si sposta un po' più verso la periferia. Cede la casa in montagna e alla fine, solo alla fine, quella di Bogliasco. Il notaio Masolo, lo ammette anche Piero, combina pasticci, inventa ardite scatole societarie, sposta debiti da una parte all'altra, ma alla fine non riuscirà a evitare lo schianto per tutti.

Delle otto palme ne è rimasta una soltanto, le altre sono state uccise dal punteruolo rosso, il giardino è incolto, la piscina piena di vegetazione e sulla discesa a mare hanno infierito le mareggiate, definitiva nel cancellare ogni traccia del passato quella della fine di ottobre 2018, con un vento di scirocco mai visto e onde alte sei metri. Solo la barriera del pitosforo è intatta. Il panorama è spettacolare, si vede tutto il Golfo Paradiso fino a Punta Chiappa e al Monte di Portofino. Piero ha portato le foto di Carlo seduto sulla balaustra di marmo a picco sulla scogliera, ha come sempre

la camicia bianca. Ma la foto più tenera venne scattata sulla veranda nell'estate del 1960, Carlo aveva appena finito la prima media e sorride contento mentre
accarezza una piccola cagnolina bianca e nera che si
chiamava Ciribì.

La casa è vuota, scrostata, sui muri si leggono i segni
dei mobili e dei letti, Piero ricorda perfettamente ogni
cosa, Marta no, lei qui non ci ha mai dormito, passava soltanto a salutare la nonna Angela quando era in
Liguria con gli altri nonni, i genitori di Silvia.

La villa e il giardino erano curati da una coppia di
custodi che vivevano nella casa accanto, Ida e Mario
Colla. Quando Carlo venne insieme a Silvia e a Fioroni
per quell'ultimo fine settimana, non li incontrò: li aveva chiamati prima per dir loro di non scomodarsi e di
non andare nemmeno ad aprire e chiudere le persia-
ne, che si sarebbe occupato di tutto lui. Si stupirono
di tanta riservatezza, ma pochi mesi dopo anche loro
capirono il perché.

Gli chiedo se si sono portati il costume, domanda
inutile, non aspettavano altro. È il momento più bello,
Marta ha sentito parlare talmente tante volte di quel
bagno, della scogliera, che nell'acqua continua a sor-
ridere. Nuotiamo per un tempo lunghissimo e ogni
cosa sembra tornare in equilibrio.

Incontri di frontiera

Alla fine del pomeriggio, mentre li accompagno al treno, padre Piero pronuncia a bassa voce una frase, apparentemente banale: «La prossima settimana andrò in Francia». Continuiamo a camminare sulla salita che porta alla stazione, Marta non dice niente, non alza neppure la testa, allora rompo io il silenzio: «A trovare Fioroni?». «Sì, lo incontrerò a Lille, dove vive.»

Una notte di dicembre ad Algeri, quando ci eravamo già scambiati le prime mail, Piero si mise a cercare l'uomo che aveva tradito suo zio e lo trovò su Facebook. Gli mandò un messaggio e quello gli rispose subito, pochi giorni dopo si sentirono brevemente al telefono, poi cominciarono a scriversi con regolarità. Carlo Fioroni spedì a Piero un suo libro di poesie, scritte quando era in carcere a Matera, e poi le foto dei quadri che dipinge oggi. Piero aveva gettato un altro ponte. È la missione che si è dato nella vita.

Figlio unico del notaio Ernesto Masolo e dell'archeologa Piera Saronio, Piero nasce nel 1978 e cresce nella
casa di corso Venezia, fa le scuole elementari in via della Spiga e poi studia dai gesuiti al Leone XIII. Si iscri-
ve ad Architettura al Politecnico ma, prima di laurear-
si, l'incontro con una suora in India gli indicherà una
strada diversa.

Il primo passo lo fa nell'estate dei suoi 18 anni, va in
Ciad con un gruppo di liceali, montano pannelli foto-
voltaici sul tetto di un ospedale e di una scuola agricola
e lì scopre, come mi racconterà nel nostro primo incontro, che esiste qualcosa di più del suo piccolo mondo
lombardo. Un mese dopo il ritorno dall'Africa, su un
treno che lo porta a Prato, dove va a vendere un magazzino che era appartenuto al nonno, incontra una dotto-
ressa che aveva conosciuto in Ciad. Lei gli parla delle
esperienze che si possono fare con il Pime (Pontificio
Istituto Missioni Estere) e lui, che non aveva la minima
idea di che cosa fosse e come funzionasse, si presenta nella sede milanese e chiede di poter partire l'estate
successiva per l'Africa. Quelli gli rispondono ruvida-
mente che non sono un'agenzia di viaggi, che bisogna
fare un cammino; lui se ne va scocciato. Ma tornerà e
comincerà a frequentarli un fine settimana ogni mese.

Fa quel cammino e l'estate successiva il Pime lo manda in India, nella missione di padre Augusto Colombo,
uno di quei «missionari del mattone» che costruivano
case, scuole, chiese, ospedali. Un giorno in un lebbro-

sario vede una suora che pulisce le piaghe di un malato, la cosa gli fa schifo e gira la testa dall'altra parte, poi nota che lei non ha i guanti, sorride e parla al lebbroso guardandolo negli occhi. La forza di quella donna, la sua gioia e la capacità di empatia sono la scintilla che gli cambia la vita.

Torna in India anche l'anno successivo, la vocazione per la missione gli viene prima di quella di farsi prete, si laurea in Filosofia e verrà ordinato sacerdote, nel Duomo di Milano dal cardinale Dionigi Tettamanzi, quando sta per compiere 30 anni. Va a studiare Teologia nelle Filippine, il suo professore è il vescovo Luis Tagle, non ancora cardinale di Manila, che gli chiede di occuparsi dei bambini di strada.

Nel 2013 viene mandato nel deserto algerino, nell'oasi Touggourt, dove è parroco di sette cristiani in mezzo a 150.000 musulmani. La sua presenza vuole essere un segno, insegna inglese, dice messa ogni giorno. Se lo hanno mandato laggiù è per testimoniare, non per convertire. Poi viene trasferito ad Algeri, in una casa missione in cui vivono in sette: una giovane coppia di Milano con due figli piccoli, e una volontaria e due preti, si occupano tutti di educazione.

Il suo modello è Pierre Claverie, frate e vescovo di Orano, nato ad Algeri nel 1938 da una famiglia francese, ucciso a 58 anni da una bomba piazzata nel portone d'ingresso del vescovado. Parlava perfettamente l'arabo classico ed era convinto che la Chiesa dovesse

stare sui confini, lavorando per il dialogo e la pacifi-
cazione: «In Algeria» scriveva «siamo su una di queste linee di frattura che attraversano il mondo: Islam/
Occidente, Nord/Sud, ricchi/poveri... siamo davvero
al posto giusto». Scelse di restare anche quando il terrorismo e la guerra civile degli anni Novanta, che fece
150.000 morti, consigliavano di scappare in Francia.

È con questa idea del mondo che Piero guarda al dialogo con Fioroni, alla possibilità di sanare ferite, di superare lacerazioni profonde.

Negli scambi con l'ex terrorista, Piero scopre che suo
zio Carlo era molto più militante di quanto lui potesse immaginare. In una telefonata Fioroni gli racconta
di una sera in macchina in cui insieme a un gruppo di
amici avevano cantato l'inno di Potere Operaio: «Stato
e padroni, fate attenzione,/ nasce il partito dell'insur-
rezione;/ potere operaio e rivoluzione,/ bandiere rosse e comunismo sarà».

Poi, con una serie di messaggi su WhatsApp, gli spiega che Carlo era a pieno titolo inserito in un gruppo
esecutivo di Autonomia Organizzata, quello della rete
di soccorso e sicurezza, ruolo che lo obbligava a vivere dentro una vita sdoppiata.

Contemporaneamente Fioroni gli manda lettere in
cui parla del «ricordo commosso e, al tempo stesso lu-
minoso, di Carlo», definisce il rapporto che si sta creando con Piero come «un'inattesa benedizione».

Piero vuole capire sempre di più, va perfino a trovare la sorella di Fioroni, che vive ancora nella casa vicino alla stazione Centrale di Milano, lei gli racconta senza mezzi termini delle macerie che ha lasciato il fratello nelle vite di tutta la famiglia: «Lui e il suo gruppo erano fuori di testa, parlavano di assaltare banche, rapire persone. Andai a degli incontri e rimasi sconvolta, tanto che me ne tirai completamente fuori. Pensai anche di andare a denunciare mio fratello e ancora oggi mi interrogo se quel gesto che non ho fatto avrebbe potuto evitare la morte di Carlo».

Padre Piero prende coraggio e chiede a Fioroni chi decise di rapire Carlo e perché. Qualche giorno dopo mi chiama per raccontarmelo: «Mi ha detto che in una riunione qualcuno che è morto da anni lo propose, ma che lui la trovò un'uscita di cattivo gusto. Poi scappò in Svizzera, per sfuggire al mandato di cattura del giudice Caselli, e si sentì abbandonato e scaricato dai compagni. Mi ha scritto che quando tornò in Italia si sentiva come in un buco nero e che fu lui a proporre la cosa a una banda di criminali comuni, gente della mala, con cui il suo gruppo aveva dei contatti. Continua a sostenere che quando lo arrestarono a Lugano era ancora convinto che Carlo fosse vivo».

Martedì 28 luglio Piero mi manda un messaggio vocale: «Arrivato all'aeroporto di Roissy, a Parigi, inizia questo viaggio della memoria, domani incontro

191

Carlo Fioroni, sono contento di farlo». È agitato, dorme male per l'ansia, si sveglia alle quattro e mezza, va alla Gare du Nord e prende il primo treno che lo porterà al confine con il Belgio, a Lille. Fino all'ultimo non è sicuro che si incontreranno, soprattutto quando arriva e non lo vede. È delusissimo, ma Fioroni è solo in ritardo. Si trovano in un caffè, ai tavolini del bar dell'hotel Napoleon, di fronte alla stazione. Fioroni ha tra le mani l'edizione francese di una raccolta di poesie di Pasolini presa in biblioteca, ha una camicia a scacchi e si è fatto accompagnare dalla moglie, una donna francese.

Piero ha i jeans e una polo bianca, che sia un prete se ne può accorgere solo un attento osservatore vedendo il piccolo crocefisso in legno che ha al collo. Mangiano in una brasserie, poi vanno nella piccola casa in periferia e Fioroni gli mostra i suoi quadri. Si lasciano che è ormai pomeriggio inoltrato. Piero cammina fino alla stazione, si ferma in un giardino e racconta le sue impressioni in un video, magari Marta un giorno lo vorrà vedere, per ora non ha voluto sapere niente.

«Sono stato con lui tutto il giorno, l'ho ascoltato ed è stato pesante, davvero pesante.» La voce di padre Piero è stanca e affaticata, non riesce a capire il confine tra verità e menzogna: «Fioroni sostiene di aver conosciuto Carlo non a Quarto Oggiaro alla scuola serale ma in corso Venezia, nel marzo 1972, perché qualcun altro del giro di Potere Operaio lo aveva portato lì dopo la morte di Feltrinelli, per nasconderlo in una casa sicura. Mi ha riempito di parole e di dettagli, cercavo un senso ma ho sentito troppe cose che non stavano in piedi».

È profondamente deluso, si aspettava verità e riconciliazione, invece ha ascoltato la recita di un uomo che dopo quarantacinque anni continua a ripetere le stesse cose: «Ha tenuto la maschera tutto il giorno, non ho trovato un dolore sincero e ho visto una persona piccola, qualcuno che non rinnega quello che ha fatto. È consapevole del danno, ma ancora oggi cerca giustificazioni. Non provo perdono e nemmeno pietà». Fioroni voleva regalare a Piero un suo quadro, ma lui lascia cadere l'idea. Piero aveva portato con sé a Lille una medaglia coniata in ricordo del nonno, gliela voleva dare sperando di suggellare una riconciliazione. Resta in fondo allo zainetto e tornerà nell'armadio della casa di campagna.

Arriva alla stazione, mentre aspetta il treno prende una birra, quando giunge a Parigi è già buio: «È stata una giornata forte e faticosa, che mi ha insegnato che bisogna imparare a scegliere bene gli amici e mi è servita a togliere lo zio Carlo dal piedistallo su cui l'avevo messo. Perché ha aiutato, protetto e finanziato questo venditore di fumo? Ho sempre pensato che avesse abbracciato quel bisogno di cambiamento sociale che era lo spirito del tempo, ma ora vorrei chiedergli: Carlo, ma che compagni di strada ti eri scelto? Perché gli hai dato retta? Perché hai passato tanto tempo con lui?».

Quando sarà di nuovo a casa, toglierà il quadro di Carlo dalla sua stanza, lo porterà nella casa di campagna insieme a tutte le carte che tornano nell'armadio della nonna.

Quando si sveglia a Parigi, prima di rientrare a Milano, registra un altro messaggio, breve ma definitivo: «È il mattino dopo, mi sento meglio, più sereno, sono convinto che fosse qualcosa da fare, per girare pagina. Le tessere del mosaico si ricompongono, altre ne mancano, ma non voglio cercare all'infinito. Carlo Fioroni mi ha anche già riscritto, ma l'ho messo in silenzioso. Basta così».

Nostalgia di futuro

«Io non ho mai fatto domande, pensavo si dovesse fare
così.» Marta allarga le braccia e mi sorride sperando
che io capisca. È stata una ragazza taciturna che per
molto tempo, troppo tempo, non ha chiesto di capire
e di sapere: «Anche da grande ho lasciato andare le
cose, ho girato la testa dall'altra parte».

I nonni materni, i genitori di Silvia, sono stati quelli che le hanno parlato un po' di più del papà: le raccontavano che quei due ragazzi avevano intenzione di
sposarsi, che suo padre lo aveva detto al nonno, ma
Marta non ha mai avuto il coraggio di chiedere alla
madre se fosse vero. Capisco che per lei è un passaggio fondamentale, che vale quanto o perfino di più di
tutta la storia che sono riuscito a ricostruire.

Torno da Silvia, le faccio io la domanda di Marta. «Certo che avevamo pensato di sposarci,» risponde senza esitazione «ne avevamo parlato più volte, e

lui sembrava anche avere una gran fretta. Carlo aveva discusso con mio padre per dirgli che aveva intenzioni serie. I miei genitori però non ne volevano sapere, cambiavano discorso. Io avevo solo 19 anni e mi ero appena iscritta all'università, per loro il mio orizzonte doveva essere l'esame di Storia medievale, non il matrimonio.»

Proprio con i libri sull'Europa del Medioevo in valigia Silvia era partita per la sua fuga in America, prima della quale Carlo aveva fatto l'ennesimo, inutile, tentativo: «Quando i miei genitori non mi volevano lasciar partire per andare a trovarlo a Filadelfia, lui telefonò e disse: "Guardi che io faccio sul serio, le prometto che torno e la sposo". Quella volta mio papà fu lapidario: "Siete troppo giovani, avete un sacco di tempo per sposarvi, Silvia ha solo 19 anni, non gliela mando"».

Ma prima ancora, a Natale del 1973, Carlo le fece la sorpresa di un viaggio in Giamaica, l'unica vera vacanza che abbiano fatto insieme. Appena atterrati sull'isola, lui le disse: «Sposiamoci qui, mi sono informato, si può fare subito, noi due da soli». «Ma che fretta abbiamo?» rispose Silvia, che oggi quasi si giustifica: «Non perché non lo amassi o non fossi convinta, e nemmeno perché volessi un gran ricevimento, ma perché ci tenevo ci fossero almeno i miei genitori e mio fratello».

La costruzione della loro vita andava avanti, quello che Carlo disse nell'ultima riunione prima di essere rapito – che voleva mettere su famiglia e che le sue

energie e i soldi dello stipendio li avrebbe dedicati a
Silvia e non più al «soccorso rosso» – non era una scu-
sa per liberarsi dell'abbraccio soffocante dei compagni. «Proprio in quelle ultime settimane avevamo cominciato a cercare casa. Sua madre aveva proposto di
ricavare per noi un piccolo appartamento nel palazzo
di corso Venezia, ma Carlo non ne voleva sapere. Avevo visto una piccola casa in largo Richini, mi piaceva
tanto perché dalle finestre si vedeva l'università, ma
lui mi disse che non era il caso: "Troppo casino, manifestazioni tutti i giorni".»

Il desiderio di cambiamento di Carlo accelerava ogni
giorno, sentiva l'urgenza, una sera dell'ultima settimana le disse: «Se io decidessi di andare a vivere negli Stati Uniti, verresti con me?». «Gli dissi di sì, senza
esitazione, anche se avrei dovuto mollare tutto, gli studi, gli amici e la famiglia. Ero innamoratissima, sarei
andata in capo al mondo con lui. L'amore può tutto.»

Silvia non sa esattamente cosa Marta mi abbia chiesto, non sa cosa ho trovato e nemmeno cosa ci sia
scritto in queste pagine. Prima di chiudere il libro, la
chiamo di nuovo: «Silvia, ti ricordi l'ultima volta che
lo hai visto, ti ricordi un'ultima frase?». Non posso
fare a meno di pensare a mia madre, a quanta compagnia le abbia fatto per anni l'ultima cosa che le disse mio padre prima di uscire dalla porta per sempre.
Per questo insisto.

«Quel giorno era venuto a prendere un libro, non era nemmeno salito in casa. "Stasera ci vediamo?" gli avevo chiesto, e lui mentre scappava di corsa disse soltanto: "Non riesco, ho da fare. Ma ci vediamo domani". Però non è questo il ricordo che conservo, piuttosto una frase che aveva detto pochi giorni prima. Una frase che in una vita normale sarebbe scivolata via, superata dagli eventi, ma che nella mia invece diventò preziosa e speciale. Mi aveva guardato e aveva detto soltanto: "Sarai una brava mamma".»

Ci teneva ad avere una figlia. Mentre lui se ne andava, lei stava arrivando, non si sarebbero mai incontrati. Mi piace regalare a Marta non solo questo racconto di chi era suo padre, un ragazzo tormentato che finalmente aveva trovato la sua strada, ma una delle cose più belle che io abbia mai letto, un ricordo della premio Nobel Olga Tokarczuk.

Mi è tornato in mente guardando le foto di Carlo: sembra sempre distratto, lo sguardo lontano.

Nel discorso pronunciato all'Accademia di Svezia, durante la cerimonia di consegna del premio Nobel per la letteratura 2018, la scrittrice polacca racconta di quando da bambina osservava una foto in bianco e nero della madre, una foto scattata prima che lei nascesse. Nell'immagine, la madre era seduta vicino a una vecchia radio e fissava un punto lontano.

«Quando guardavo quella foto, da bambina, ero convinta che mia madre mi cercasse girando la manopola della radio. Come un radar sensibile penetrava negli spazi infiniti del cosmo, cercando di scoprire quando e da dove sarei arrivata ... Da bambina immaginavo che quella donna guardasse dentro il tempo. Nella foto non succede nulla, è la fotografia di uno stato, non di un processo. La donna è triste, pensierosa, come assente. Quando poi le chiesi il motivo di quella tristezza – e glielo chiesi molte volte ottenendo sempre la stessa risposta – la mamma mi disse che era triste perché non ero ancora nata e già le mancavo. "Come potevo mancarti se non ero ancora nata?" le chiedevo. Sapevo che si può sentire la mancanza di qualcuno che si è perso, che la nostalgia deriva da una perdita. "Ma può anche essere il contrario" rispondeva. "Se senti la mancanza di qualcuno è perché quella persona già esiste."»

Ringraziamenti

La foto di classe di Carlo al ginnasio, che lo ritrae insieme alla professoressa Alba Carbone Binda e che è stata usata per creare la copertina di questo libro, me l'ha data la sua compagna di classe Alessandra Bonetti. Paesaggista e autrice di libri sui giardini orientali, mi parla di Carlo come di «un timido geniaccio», e ricorda la prima volta che fecero la cena di classe molti anni dopo: mancava solo lui.

Mondadori Libri S.p.A.

Questo volume è stato stampato
presso ELCOGRAF S.p.A.
Stabilimento - Cles (TN)

Stampato in Italia - Printed in Italy